D1074525

Claudine Lacasse

Allegro

Mathématique • 1er cycle du primaire

Manuel D

8101, boul. Métropolitain Est, Anjou, Qc, Canada. H1J 1J9
Téléphone: (514) 351-6010 Télécopieur: (514) 351-3534

Directrice de l'édition
Diane De Santis

Directrice de la production
Danielle Latendresse

Chargée de projet
Diane Karneyeff

Révision scientifique
Hélène Kayler

Conception graphique
Interscript inc.
St-Rémy Multimédia inc.

Infographie
Interscript inc.

Illustrations
Franfou
Jacques Lamontagne
Pierre Massé
Élaine Mercier
Francine Sabourin
Daniela Zekina

Dans cet ouvrage, la féminisation des titres de fonctions et des textes s'appuie sur les règles d'écriture proposées par l'Office de la langue française dans le guide *Au féminin*, Les Publications du Québec, 1991.

8101, boul. Métropolitain Est
Anjou (Québec) H1J 1J9

Dépôt légal : 4e trimestre 2000
Bibliothèque nationale du Québec
Bibliothèque nationale du Canada

ISBN 2-7617-1684-1

Imprimé au Canada

1 2 3 4 5 04 03 02 01 00

Sources des photos
Claudine Lacasse

Page 9 : James Davis / Int'l Stock / Réflexion Photothèque.

Page 18 : Marc-André Dutil, École Notre-Dame, C.S. de la Beauce-Etchemin.

Page 32 : Jaseka Mardo, Michel Bouvier, Hôpital Sainte-Justine.

Page 33 : Int'l Stock / Réflexion Photothèque.

Page 47 : Jessica Vachon, Samuel Chabot Nadeau, École Notre-Dame, C.S. de la Beauce-Etchemin.

Page 48 : Vanessa Lacroix Rousseau, École Notre-Dame, C.S. de la Beauce-Etchemin.

Page 61 : Sophie Bourgoin, Éric Bourgoin, David Ouellet, École Notre-Dame, C.S. de la Beauce-Etchemin.

Page 71 : Vanessa Lacroix Rousseau, École Notre-Dame, C.S. de la Beauce-Etchemin.

Page 74 : Jaimie Maurice Lecours, École Notre-Dame, C.S. de la Beauce-Etchemin.

Page 87 : Tibor Bognar / Réflexion Photothèque
Camerique / Réflexion Photothèque.

Page 89 : Lauren Plante, Samuel Chabot Nadeau, École Notre-Dame, C.S. de la Beauce-Etchemin.

Page 104 : Marc-André Dutil, École Notre-Dame, C.S. de la Beauce-Etchemin.

Pages 112-113 : Alexandra Fontaine, Gabriel Richard, École Notre-Dame, C.S. de la Beauce-Etchemin.

L'auteure et l'éditeur tiennent à remercier les personnes suivantes qui ont expérimenté le matériel ou qui ont participé à l'élaboration du projet à titre de consultantes :

Aline Breton, enseignante à la C.S. des Affluents ;

Nicole Corbeil, conseillère pédagogique à la C.S. de Laval ;

Suzie Côté, réviseure pédagogique ;

Marie Anik Courtois, enseignante à la C.S. de la Rivière-du-Nord ;

Nathalie Couture, enseignante à la C.S. de la Beauce-Etchemin ;

Nathalie Hébert, conseillère pédagogique à la C.S. des Chênes ;

Lucie Lavoie, enseignante à la C.S. de Laval ;

Josée Vachon, enseignante à la C.S. des Premières-Seigneuries.

L'histoire des trésors sous la ville de *CONCERTO*

Rondo a développé beaucoup d'habiletés depuis septembre.
Il a plus d'expérience.
Il utilise des méthodes de travail efficaces qui lui permettent d'accomplir sa mission plus rapidement.
Il vit en harmonie avec ses amis.
Ensemble, ils s'entraident et évaluent le travail qu'ils ont fait.
Rondo comprend de mieux en mieux le monde souterrain, ce qui lui permet de se tirer d'affaire dans une situation difficile.

Par exemple, l'autre jour, Rondo a dû trouver un moyen d'échapper à un pêcheur qui voulait l'accrocher à l'hameçon de sa canne à pêche.
L'homme le tenait dans sa main. Rondo s'est alors mis à s'agiter en tous sens et le pêcheur l'échappa. Rondo creusa rapidement un trou et s'enfuit sous terre par des corridors qu'il connaissait bien.
Ouf ! Cette expérience lui sera utile la prochaine fois qu'une situation semblable se présentera.

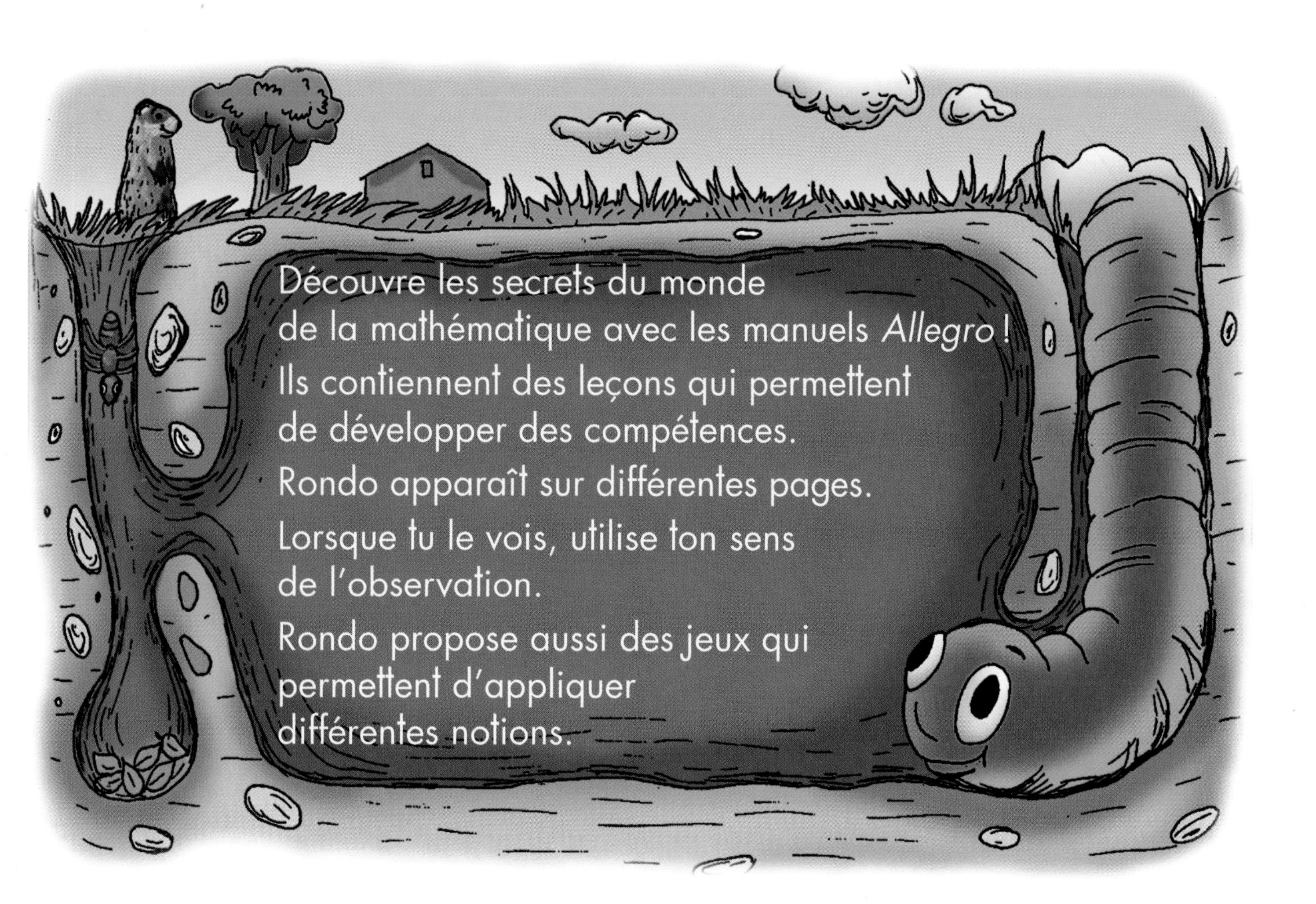

Chaque leçon se compose de trois étapes.
Cette démarche permet de mieux retenir l'information.
Ces étapes sont illustrées de la façon suivante.

Je connais des choses, les autres élèves aussi.
Je désire en parler.
J'ai hâte de faire de nouvelles découvertes.

Je réalise des activités en utilisant des ressources.
Je parle de mes découvertes.
J'exprime ce que je comprends et comment je me sens.

Je suis plus à l'aise.
J'applique ce que je sais dans de nouvelles situations.
Je communique ce que j'ai appris.

Les pictogrammes indiquent le matériel à utiliser pour faire les activités.

 Utilise ton ardoise ou une feuille.

 Utilise la feuille qu'on te remettra.

 Utilise du matériel de manipulation.

La rubrique « Coffre au trésor » se trouve à différents endroits dans les manuels.
Elle contient des notions mathématiques.
Compare son contenu avec ce que tu comprends.
Tu peux aussi l'utiliser pour construire un lexique mathématique.

Des sections dans chaque manuel te proposent différentes activités.

Activités de révision

Activités avec la calculatrice

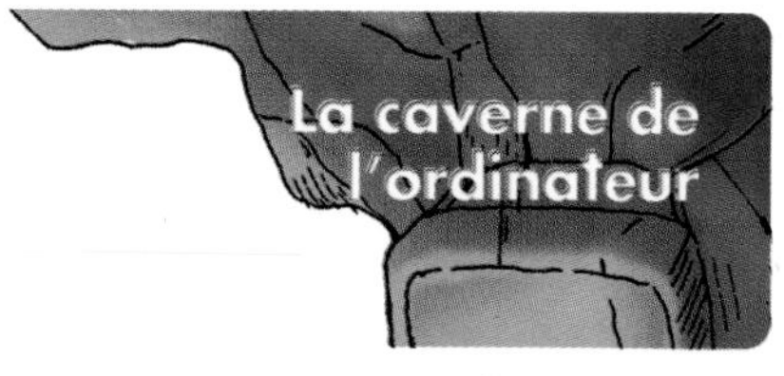

Activités avec l'ordinateur

Suggestions de projets

Table des matières

nombres géométrie mesures probabilités et statistiques

Leçon 85

Observe les nombres sur les casiers.
Ils respectent une régularité.
Le casier de Dominique porte un nombre impair.
La somme des chiffres qui forment ce nombre est 12.
Quel nombre y a-t-il sur le casier de Dominique ?

Quels nombres y a-t-il sur les 10 casiers à droite de celui de Dominique ?

- Écris en ordre les 20 nombres qui viennent après celui inscrit sur le casier de Dominique.
  Respecte la régularité.
- Choisis l'un de ces nombres.
  Fais-le découvrir par un ou une élève en lui donnant des indices.
  Utilise des termes mathématiques.
  Choisis-les parmi ceux ci-dessous.

avant	ordre croissant	somme	plus petit que
immédiatement après	entre	chiffre à la position des unités	impair
chiffre à la position des dizaines	plus grand que	pair	après
chiffre	chiffre à la position des centaines	immédiatement avant	ordre décroissant

Dany récite mentalement les nombres de 300 à 500 par bonds de 50.
Il dit à haute voix un seul nombre.

A Quels nombres Dany a-t-il déjà récités mentalement ?

B Quels nombres lui reste-t-il à réciter ?

1 Le jeu des crayons

Nombre d'élèves : 3

Matériel : des jetons, des bouts de papier blanc et jaune et un plat

Chaque élève utilise une couleur de jetons.
Les élèves écrivent 12 nombres de 300 à 500 sur des bouts de papier blanc.
Les élèves écrivent les signes <, > et = sur 3 bouts de papier jaune.
Ils et elles placent les bouts de papier, face cachée, dans un plat.
Lorsque c'est ton tour :

- tire un bout de papier blanc et un bout de papier jaune ;
- place le signe avant ou après le nombre ;
- place un jeton sur un crayon dont le nombre peut être placé avant ou après le signe ;
- remets les bouts de papier dans le plat.

L'élève qui a placé le plus de jetons gagne la partie.

Variante : Place un jeton sur l'un des nombres inscrits sur les crayons. Décris ce nombre à l'aide de termes mathématiques ou représente-le à l'aide de matériels.

Leçon 86

Observe le pictogramme ci-dessous.
Il indique le nombre d'objets vendus en un mois dans un magasin.
Combien d'objets de chaque sorte a-t-on vendus dans ce magasin ?
Quel objet a-t-on le plus vendu ?

1 **A** Représente à l'aide de matériel le nombre d'objets indiqué ci-dessous.

B Décompose ces nombres à l'aide d'une addition.

205

320

2 Illustre le nombre à droite de chaque objet au numéro 1 dans un pictogramme.
Utilise la feuille qu'on te remettra et indique la légende que tu as choisie.

3 Discute des ressemblances et des différences entre ton pictogramme et celui d'autres élèves.

Je peux représenter et décomposer le nombre 314 de différentes façons.

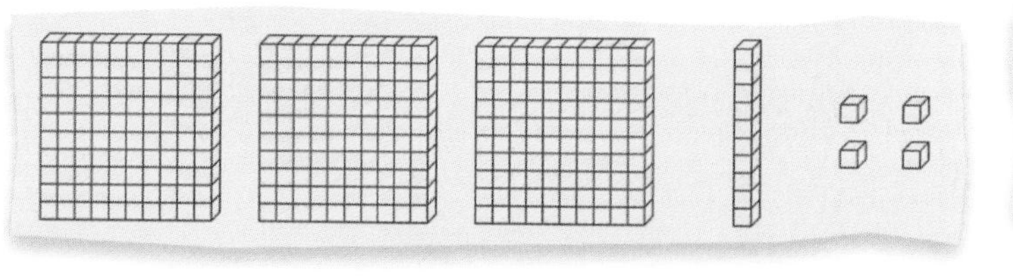

3 centaines,
1 dizaine et 4 unités

100 + 100 + 100 + 10 + 1 + 1 + 1 + 1

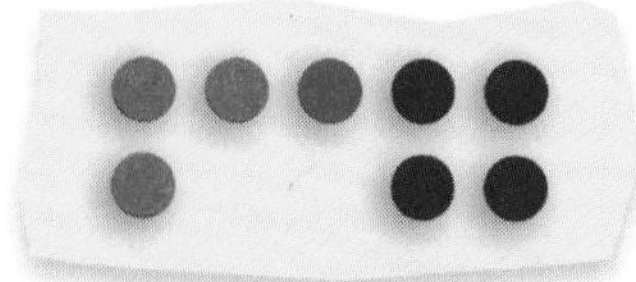

Etc.

1 Observe la balance illustrée ci-contre. Quels « blocs » placerais-tu sur le plateau de droite et sur le plateau de gauche pour que les plateaux restent dans la même position ? Choisis-les parmi ceux ci-dessous.
Trouve 3 réponses différentes et vérifie-les à l'aide de matériel.

a) 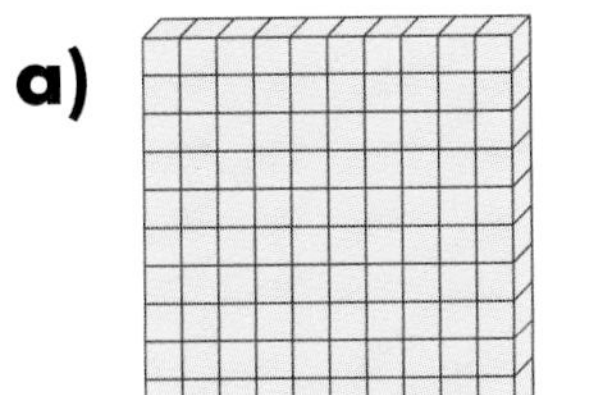 **b)**  **c)** 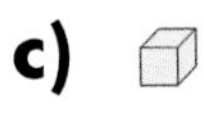

d) 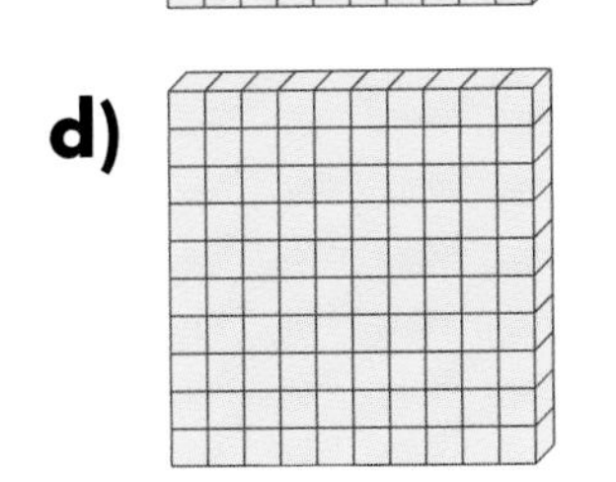 **e)**  **f)** 

2

A Estime la distance que tu parcourras dans un corridor en faisant exactement une centaine de pas.

B Estime la distance que tu parcourras en faisant exactement 8 dizaines de pas.

C Comment procéderais-tu pour vérifier tes estimations ?

D Compare tes procédures et tes résultats avec ceux d'autres élèves.

Leçon 87

Paulo fait des achats au marché d'alimentation avec sa mère.
Quels sacs doivent-ils acheter pour obtenir une somme de 16 fruits ?
Quels sacs doivent-ils acheter pour obtenir une somme de 17 fruits ?
Quels sacs doivent-ils acheter pour obtenir une somme de 18 fruits ?

1 Trouve toutes les combinaisons de 2 sacs de fruits que tu peux faire à la page 14.
Indique l'addition et la somme qui correspondent à chaque combinaison.

2 Estime, puis calcule le résultat de chacune des opérations ci-dessous.
Vérifie tes résultats en effectuant l'opération qui convient.

A 24 + 41 = ?	**B** 67 − 26 = ?	**C** 12 + 46 = ?
D 59 − 14 = ?	**E** 55 + 13 = ?	**F** 68 − 42 = ?
G 31 + 28 = ?	**H** 69 − 31 = ?	**I** 64 + 5 = ?

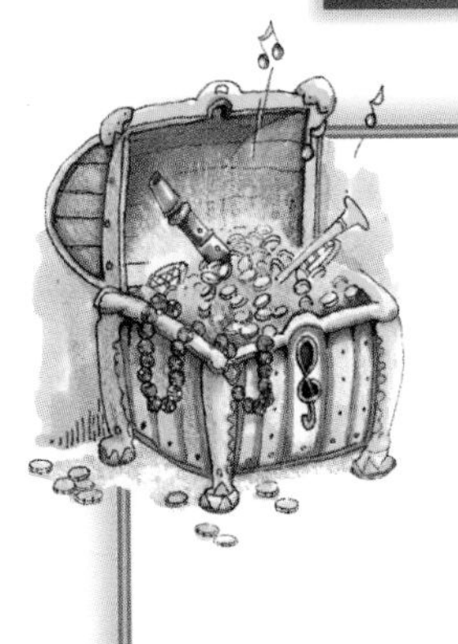

+	0	1	2	3	4	5	6	7	8	9	10
0	0	1	2	3	4	5	6	7	8	9	10
1	1	2	3	4	5	6	7	8	9	10	11
2	2	3	4	5	6	7	8	9	10	11	12
3	3	4	5	6	7	8	9	10	11	12	13
4	4	5	6	7	8	9	10	11	12	13	14
5	5	6	7	8	9	10	11	12	13	14	15
6	6	7	8	9	10	11	12	13	14	15	16
7	7	8	9	10	11	12	13	14	15	16	17
8	8	9	10	11	12	13	14	15	16	17	18
9	9	10	11	12	13	14	15	16	17	18	19
10	10	11	12	13	14	15	16	17	18	19	20

1 Le jeu de la rapidité

Nombre d'élèves : 3 Matériel : un jeu de cartes

Un ou une élève du groupe joue le rôle d'arbitre.
Les élèves utilisent 24 cartes du 5 au 10.
L'arbitre brasse les cartes et forme deux piles égales faces cachées.
Chaque élève utilise une pile de cartes.
Les élèves retournent en même temps la carte sur le dessus de la pile.
L'élève qui dit le plus rapidement la somme des deux nombres inscrits sur les cartes remporte les cartes. L'arbitre vérifie si la somme est exacte.
Le jeu se termine lorsque les cartes sont épuisées.
L'élève qui a le plus de cartes gagne la partie.

2 Le jeu des soustractions

Nombre d'élèves : 3 Matériel : un jeu de cartes et des jetons

Un ou une élève du groupe joue le rôle d'arbitre.
Les élèves utilisent 24 cartes du 5 au 10.
L'arbitre brasse les cartes et forme une pile, face cachée.
L'arbitre retourne la première carte sur la pile.
Chaque élève dit une soustraction dont le résultat correspond au nombre inscrit sur la carte. Les soustractions doivent être différentes.
L'arbitre remet un jeton pour chaque soustraction qui convient.
Le jeu se termine lorsque les cartes sont épuisées.
L'élève qui a le plus de jetons gagne la partie.

Leçon 88

Cédric récupère des boîtes vides pour fabriquer des objets décoratifs.
Observe les objets sur les photos.
Que retrouve-t-on sur les sommets de ces boîtes ?
Que retrouve-t-on sur les arêtes de ces boîtes ?

Quelles ressemblances y a-t-il entre ces boîtes ?
Quelle différence y a-t-il entre ces boîtes ?

1 Transforme une boîte en un objet décoratif.
Utilise une boîte qui ressemble à un prisme, à une pyramide ou à un cube.
Respecte les consignes suivantes :

- recouvre chaque face de la boîte d'un papier de couleur différente ;
- indique la position des sommets et des arêtes sur ta boîte.

Utilise le matériel de ton choix.

2 Forme un groupe avec d'autres élèves.
Construisez un tableau qui décrit chaque boîte utilisée au numéro 1.

- Indiquez le nom de chaque solide, la forme de ses faces, le nombre de faces, de sommets et d'arêtes qu'il possède.
- Comparez les boîtes à l'aide des termes « plus de », « moins de » et « autant que ».

Je peux décrire un solide en indiquant la forme de ses faces et le nombre de faces, de sommets et d'arêtes qu'il possède.

Ce solide a des faces en forme de triangles et de rectangles. Il possède 5 faces, 6 sommets et 9 arêtes.

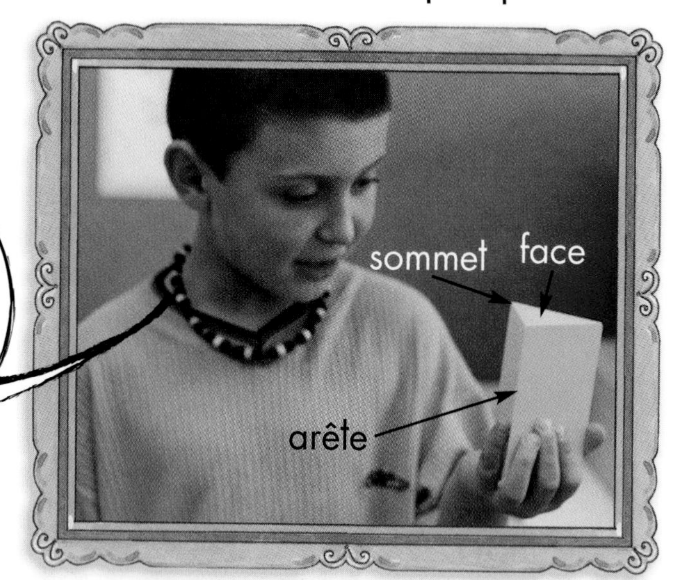

I Classe les solides illustrés ci-dessous dans les diagrammes.
Utilise la feuille qu'on te remettra.
Écris les lettres qui correspondent aux solides dans les régions qui conviennent.

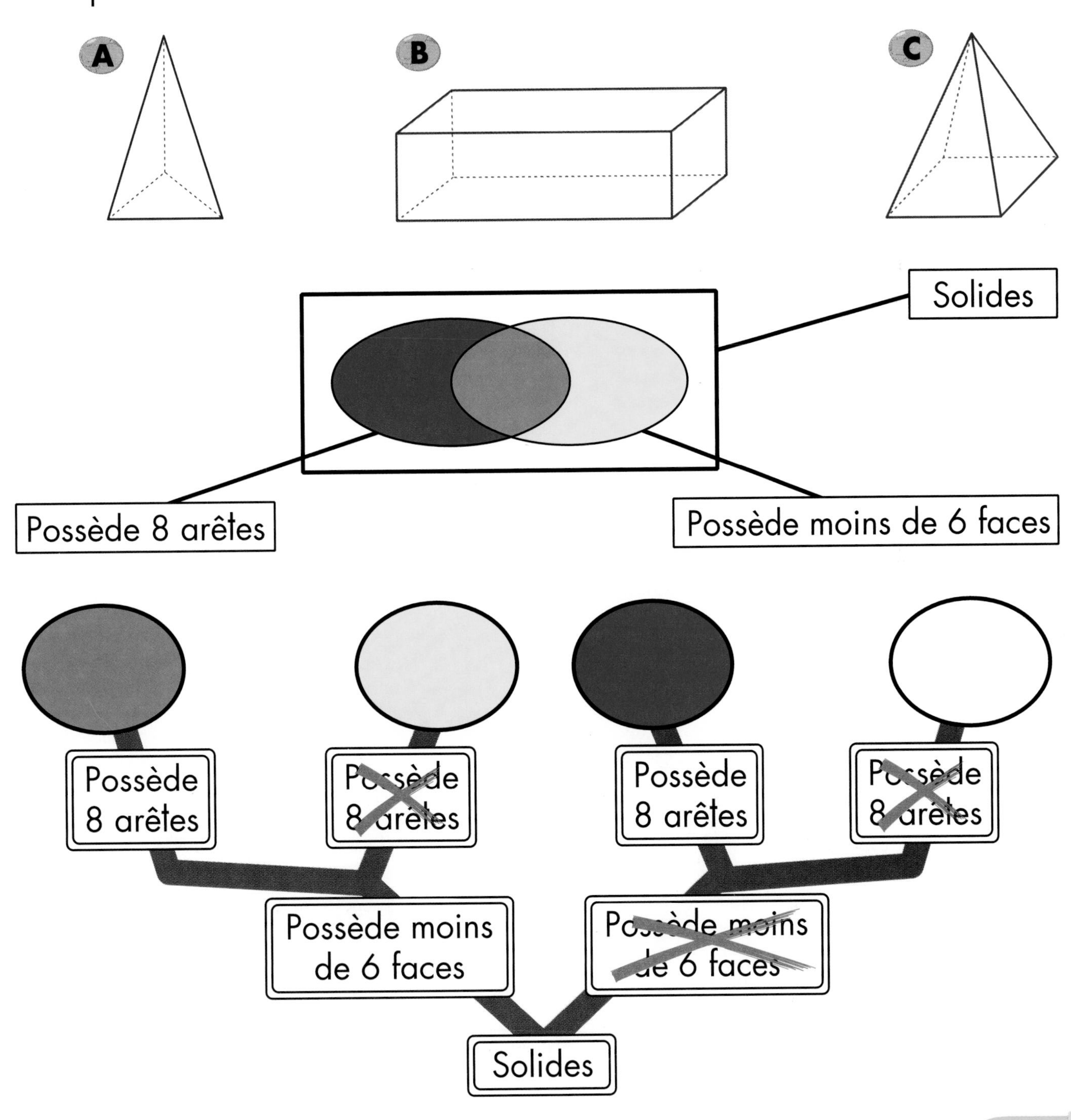

Leçon 89

Un groupe de 14 filles et 13 garçons se rendent à la cabane à sucre.
Le propriétaire a 69 bâtonnets de bois à remettre aux enfants pour qu'ils puissent manger de la tire.
Il remet un bâtonnet à chaque enfant.
Combien de bâtonnets lui reste-t-il ?
Quelles opérations dois-tu effectuer pour trouver cette réponse ?

Résous les situations suivantes.
Laisse les traces de tes démarches.

1 Il y a 19 élèves qui veulent jouer à un jeu à la cabane à sucre.
Ils doivent former deux groupes de 4 élèves chacun et trois groupes de 2 élèves chacun pour ce jeu.
Combien d'élèves ne pourront pas jouer à ce jeu ?

2 Mélissa et David font des sucettes à l'érable.
Mélissa a fait 12 sucettes.
David doit en faire 5 de plus qu'elle.
Il lui reste 6 sucettes à faire.
Combien de sucettes David a-t-il faites ?

3 On reçoit ce soir 13 enfants et 24 adultes pour un repas à la cabane à sucre.
On servira un petit pâté à la viande à chacune de ces personnes.
Le cuisinier a déjà préparé 30 petits pâtés.
Combien de petits pâtés lui reste-t-il à préparer ?

1 Marilou et Julien placent entre eux une pile de 40 cartes, de l'as au 10. Leur jeu consiste à tirer des cartes une à la fois, chacun leur tour, jusqu'à ce qu'ils obtiennent une somme de 39.
Quelle carte Julien doit-il tirer pour gagner ?
Trouve cette réponse en effectuant plus d'une opération.

2 Un autobus effectue 5 arrêts sur son parcours.
Il y a 12 personnes qui montent dans cet autobus au premier arrêt.
Il y a 17 personnes qui montent dans cet autobus au deuxième arrêt tandis que 14 personnes en descendent.
Combien de personnes y a-t-il dans cet autobus après le deuxième arrêt ?

Leçon 90

Le plan ci-dessous représente les environs de la maison d'Annie.
Suis avec ton doigt le trajet que l'on te dictera.

1 **A** Annie habitait autrefois la maison rose.
Trace 3 trajets différents qu'Annie pouvait emprunter autrefois pour se rendre à l'école.
Trace en bleu le premier trajet.
Trace en vert le deuxième trajet.
Trace en jaune le troisième trajet.
Utilise une règle et la feuille qu'on te remettra.

B Représente ces trajets à l'aide des points cardinaux et de flèches ou de quantités.
Utilise les couleurs qui conviennent.

2 Compare les trajets du numéro 1 avec ceux d'autres élèves.
Discute des ressemblances et des différences.
Découvre le trajet le plus long et le trajet le plus court.
Quel moyen as-tu utilisé pour découvrir ces trajets ?

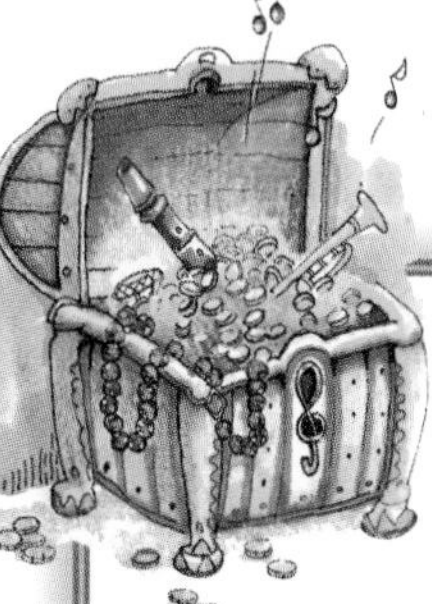

Je peux représenter un trajet sur un quadrillage à l'aide des points cardinaux et de flèches ou de quantités.

Chaque flèche ou chaque quantité correspond à l'un des côtés d'une case du quadrillage.

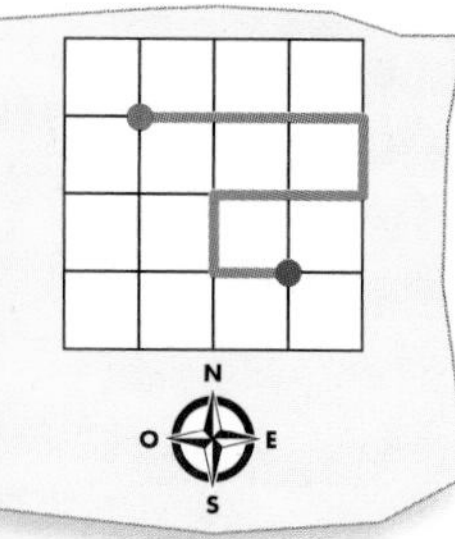

Le trajet du ● au ● peut être représenté de la façon suivante :
Ouest →, Nord →, Est →→, Nord →, Ouest →→→,
ou
Ouest 1, Nord 1, Est 2, Nord 1, Ouest 3.

1 Représente chaque ligne indiquée ci-dessous sur la feuille qu'on te remettra.
Utilise une règle et un crayon de couleur qui correspond à la couleur du code.

A **Sud → → → → →**

B **Ouest 3**

C **Nord → → → →**

D **Est 6**

Compare les lignes tracées au numéro 1 avec celles d'autres élèves.
Discute des ressemblances et des différences.

Quel moyen puis-je utiliser pour indiquer le point de départ et le point d'arrivée de chaque ligne ?

Quel moyen puis-je utiliser pour que tous les élèves utilisent le même point de départ ?

Leçon 91

Amandine fait couper ses cheveux d'environ 5 centimètres.
Estime cette longueur à l'aide de tes doigts.
Représente cette longueur à l'aide d'une réglette Cuisenaire.

Représente une longueur plus longue que 5 centimètres à l'aide d'une réglette Cuisenaire.
Quel résultat de mesure obtiens-tu ?

Représente une longueur plus courte que 5 centimètres à l'aide d'une réglette Cuisenaire.
Quel résultat de mesure obtiens-tu ?

1 Construis un instrument de mesure de 1 décimètre de longueur qui est gradué en centimètres.
Utilise le matériel suivant.

une bande de carton | 10 réglettes blanches | une réglette orange

2 Trace des lignes qui représentent les longueurs de cheveux indiquées ci-dessous.
Utilise l'instrument de mesure que tu as fabriqué au numéro 1.

A 3 centimètres

B 6 centimètres

C 9 centimètres

D 2 centimètres

3 Quelle est la couleur de la réglette qui a la même longueur que chaque résultat de mesure indiqué au numéro 2 ?

1 Le jeu du centimètre

Nombre d'élèves : 4

Matériel : des réglettes Cuisenaire, un sac et ta bande graduée en centimètres

Un ou une élève du groupe joue le rôle d'arbitre.
L'arbitre place 2 réglettes de chaque couleur dans un sac.
Lorsque c'est ton tour :

- tire une réglette ;
- estime sa longueur ;
- mesure sa longueur en centimètres.

L'arbitre indique si le résultat de mesure est exact.
L'élève garde la réglette si le résultat est exact.
La partie se termine lorsqu'il n'y a plus de réglettes dans le sac.
L'élève qui a le plus de réglettes gagne la partie.

2 Représente chaque résultat de mesure indiqué ci-dessous à l'aide de 2 réglettes Cuisenaire mises bout à bout.
Utilise ta bande graduée en centimètres.

A 8 centimètres

B 4 centimètres

C 7 centimètres

D 5 centimètres

Puis-je représenter ces longueurs à l'aide de 4 réglettes Cuisenaire ?

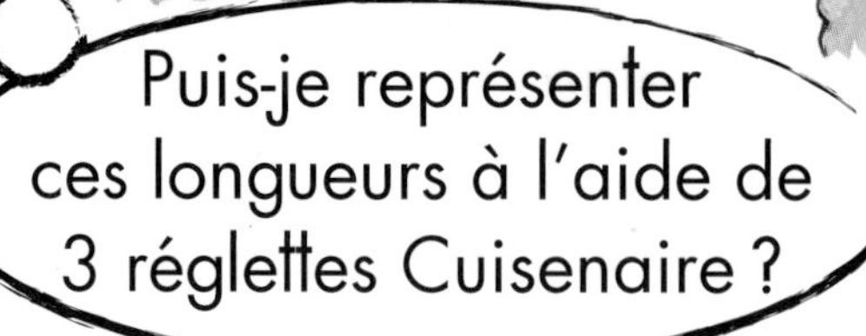

Les jeux de Rondo

Le jeu des pépites d'or

Nombre d'élèves : 3 ou 4 | Matériel : 3 dés et des jetons

Une ou un élève du groupe joue le rôle d'arbitre.
Chaque élève utilise une couleur de jetons.
Lorsque c'est ton tour :

- jette les dés et additionne les résultats obtenus ;
- place un jeton sur la pépite dont le nombre correspond au résultat obtenu ;
- s'il n'y a aucun nombre qui convient, passe ton tour.

L'arbitre vérifie si le résultat est exact.
Le jeu se termine lorsque toutes les pépites sont choisies.
L'élève qui a le plus de jetons sur les pépites gagne la partie.

Au diapason 13

Écris tes réponses sur une feuille ou sur l'ardoise.
Utilise du matériel si tu en as besoin.

1 Écris les nombres qu'on te dictera.

2 Quel nombre peut être représenté par chacune des additions suivantes ?

A 100 + 100 + 10 + 10 + 1 + 1

B 100 + 100 + 100 + 10 + 10 + 10 + 10

C 100 + 1 + 1 + 1

3 **A** Effectue mentalement les opérations suivantes.
- 8 + 9 = ?
- 16 − 7 = ?
- 9 + 9 = ?
- 16 − 8 = ?

B Effectue par écrit les opérations suivantes.
- 16 + 42 = ?
- 59 − 21 = ?

4 **A** Combien de faces le solide illustré ci-contre possède-t-il ?

B Combien de sommets le solide illustré ci-contre possède-t-il ?

C Combien d'arêtes le solide illustré ci-contre possède-t-il ?

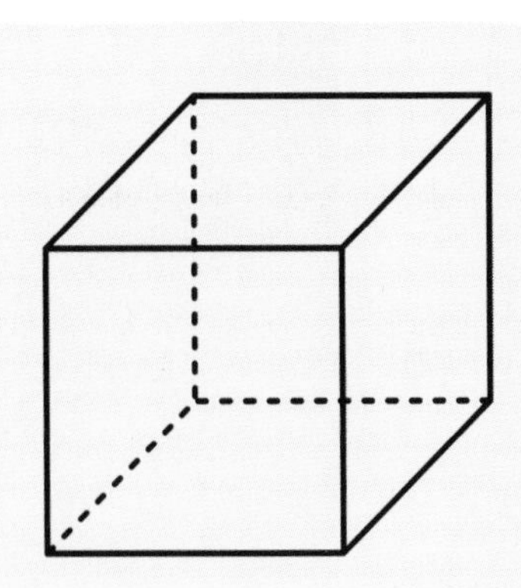

Résous la situation suivante.
Laisse les traces de ta démarche.

Aurélie et Pavel font un casse-tête.
Aurélie a placé 10 morceaux.
Pavel a placé 4 morceaux de plus qu'Aurélie.
Il reste 25 morceaux à placer.
Combien de morceaux y a-t-il
dans ce casse-tête ?

Quel code convient à la ligne tracée sur le quadrillage ?
Le point de départ est le point vert.

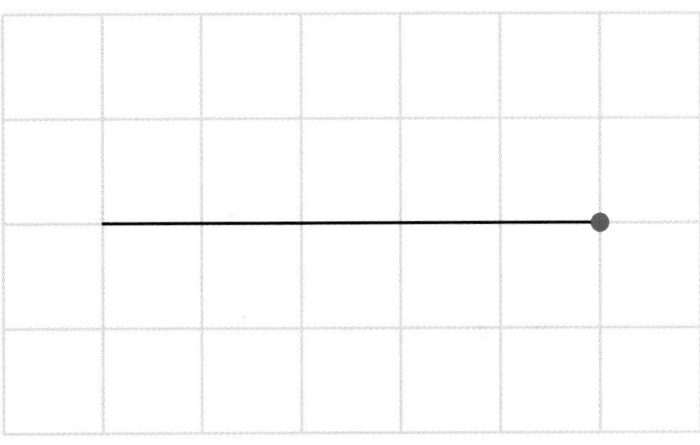

a) Nord 5 **b)** Sud 5

c) Est 5 **d)** Ouest 5

Quelle ligne parmi celles ci-dessous a une longueur de 6 centimètres ?
Utilise ta bande graduée en centimètres.

a)

b)

c)

Leçon 92

Il y a 29 femmes et 17 hommes qui font du bénévolat auprès des enfants malades dans un hôpital.
Un comité veut remettre un cadeau à chacune de ces personnes.
Quelle opération permet de trouver le nombre total de cadeaux que le comité devra acheter ?

Représente cette opération à l'aide de matériel.
Quelle technique peux-tu utiliser pour effectuer par écrit cette opération ?

- Représente à l'aide de matériel ou d'un dessin chaque addition ci-dessous.
- Découvre une technique pour calculer par écrit le résultat de ces additions.
  Utilise cette technique et effectue ces additions.

A 14 + 18 = ?	B 12 + 19 = ?
C 13 + 29 = ?	D 28 + 22 = ?
E 24 + 26 = ?	F 19 + 25 = ?
G 32 + 18 = ?	H 37 + 9 = ?

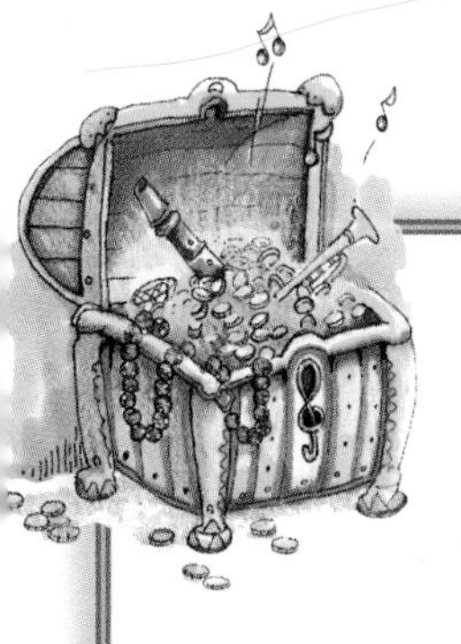

Il existe différentes techniques pour additionner par écrit des nombres. J'ai découvert la mienne et je l'utilise.

27 + 15 = 27 + 10 + 3 + 2
27 + 10 = 37
37 + 3 = 40
40 + 2 = 42

$$\begin{array}{rl} & 27 \\ + & 15 \\ \hline & 12 \quad (7 + 5) \\ + & 30 \quad (20 + 10) \\ \hline & 42 \end{array}$$

D	U
1	
2	7
1	5
4	12

Etc.

1 Quel matériel dois-tu ajouter à chaque représentation ci-dessous pour obtenir 50 ?
Découpe le matériel qui convient sur la feuille qu'on te remettra.

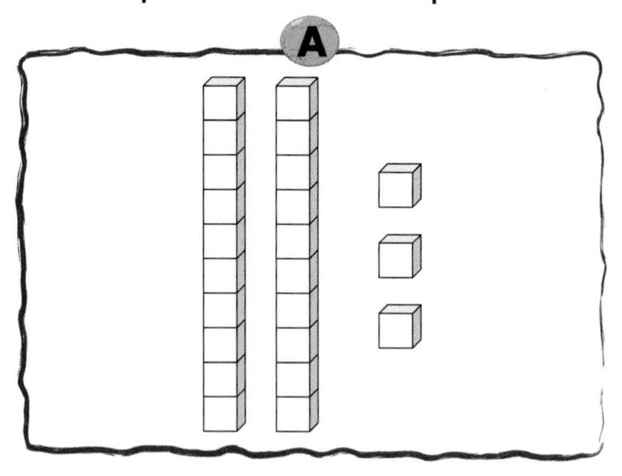

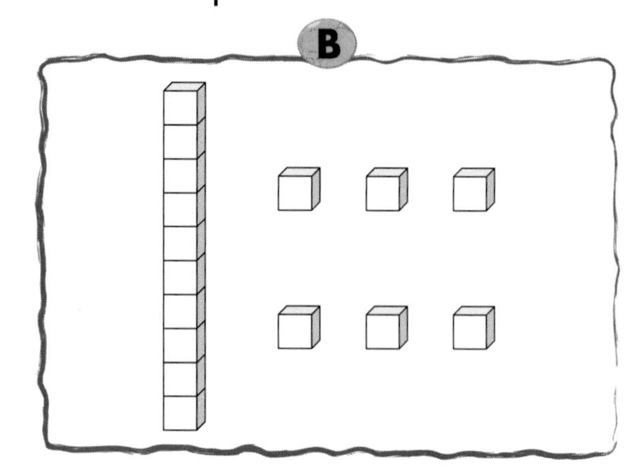

2
- Effectue par écrit les additions ci-dessous.
  Utilise du matériel si tu en as besoin.
- Écris 2 autres additions qui ont le même résultat que chacune de ces additions.

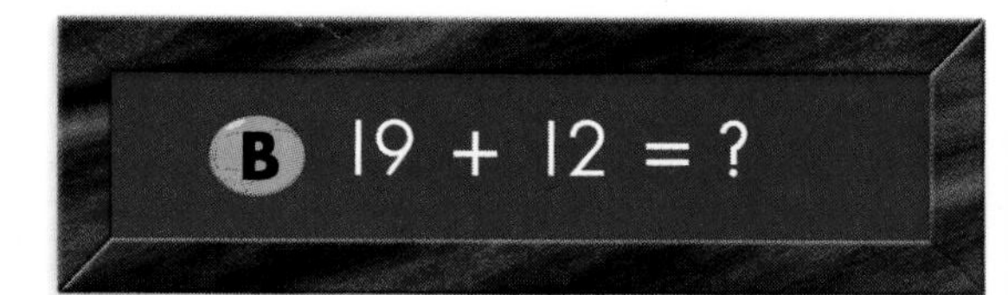

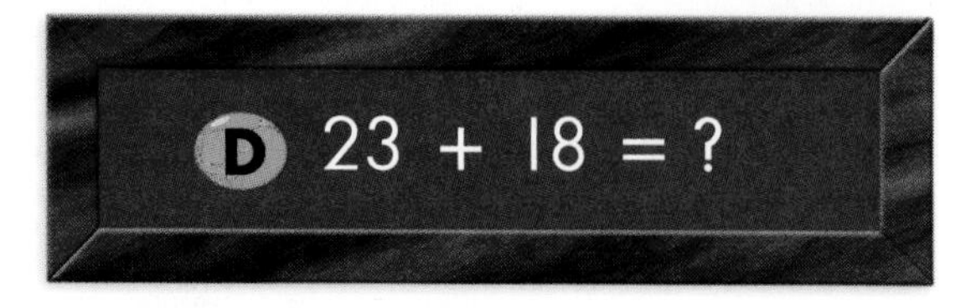

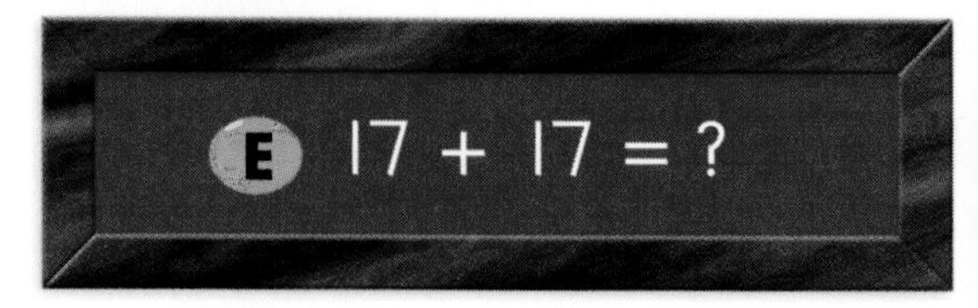

Leçon 93

Olivia a réalisé le plan d'aménagement de son futur potager.
Quelle est la forme de chaque région de son plan ?

La région de la laitue et des oignons sera partagée en
2 parties équivalentes.
Cache un demi de cette région.

Quelle est la longueur de la région en forme de rectangle sur ce plan ?
Quelle est la largeur de cette région ?
Y a-t-il d'autres régions qui ont la même longueur ou la même largeur
que cette région ?

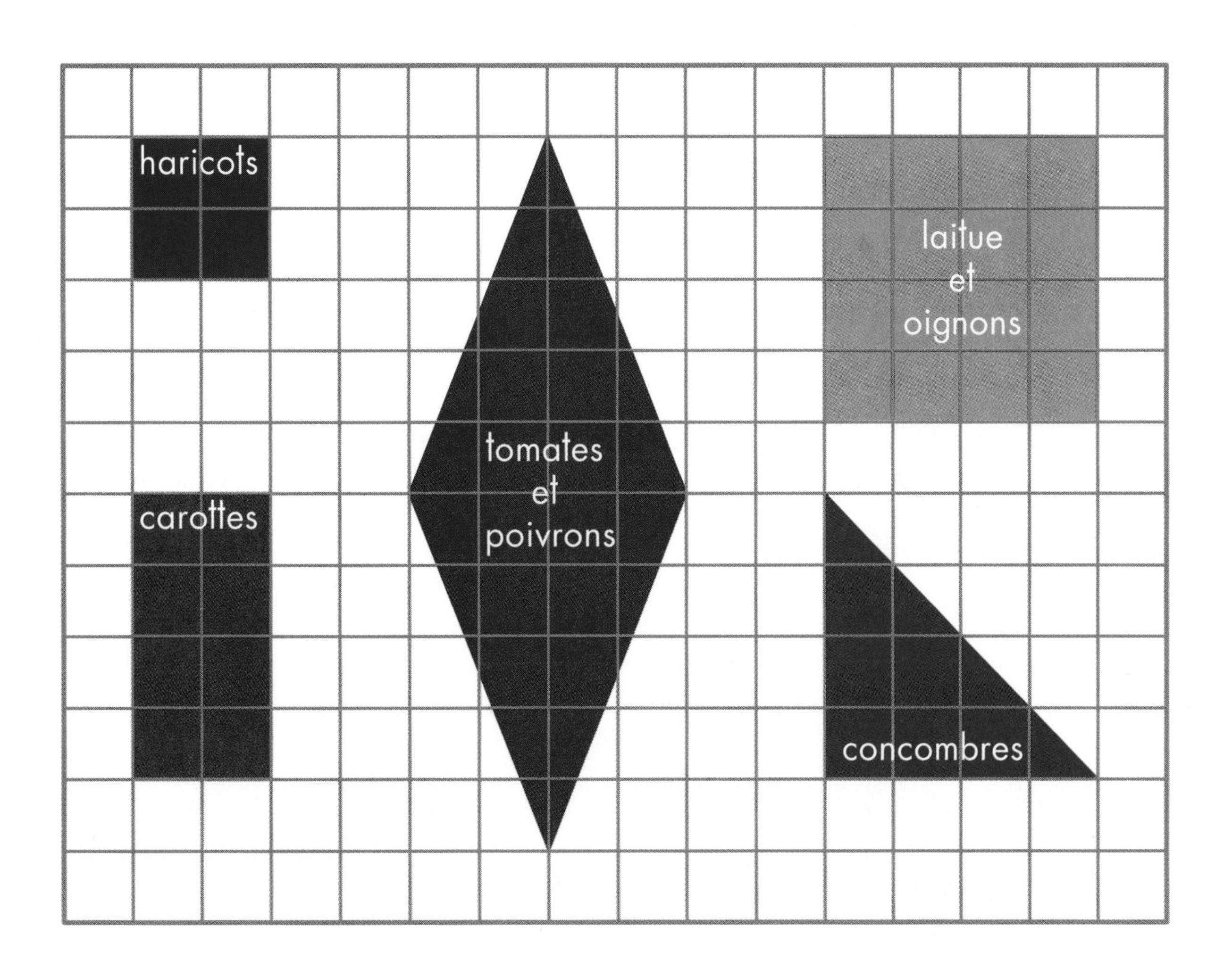

Réalise le plan d'aménagement d'un potager sur la feuille qu'on te remettra.
Respecte les consignes suivantes.

- Trace 4 régions qui représentent un carré, un rectangle, un triangle et un losange.
  Utilise une règle.
- Le carré et le rectangle doivent avoir la même largeur.
- Colorie chaque région d'une couleur différente.
- Indique les légumes ou les fruits que l'on retrouvera dans ces régions.

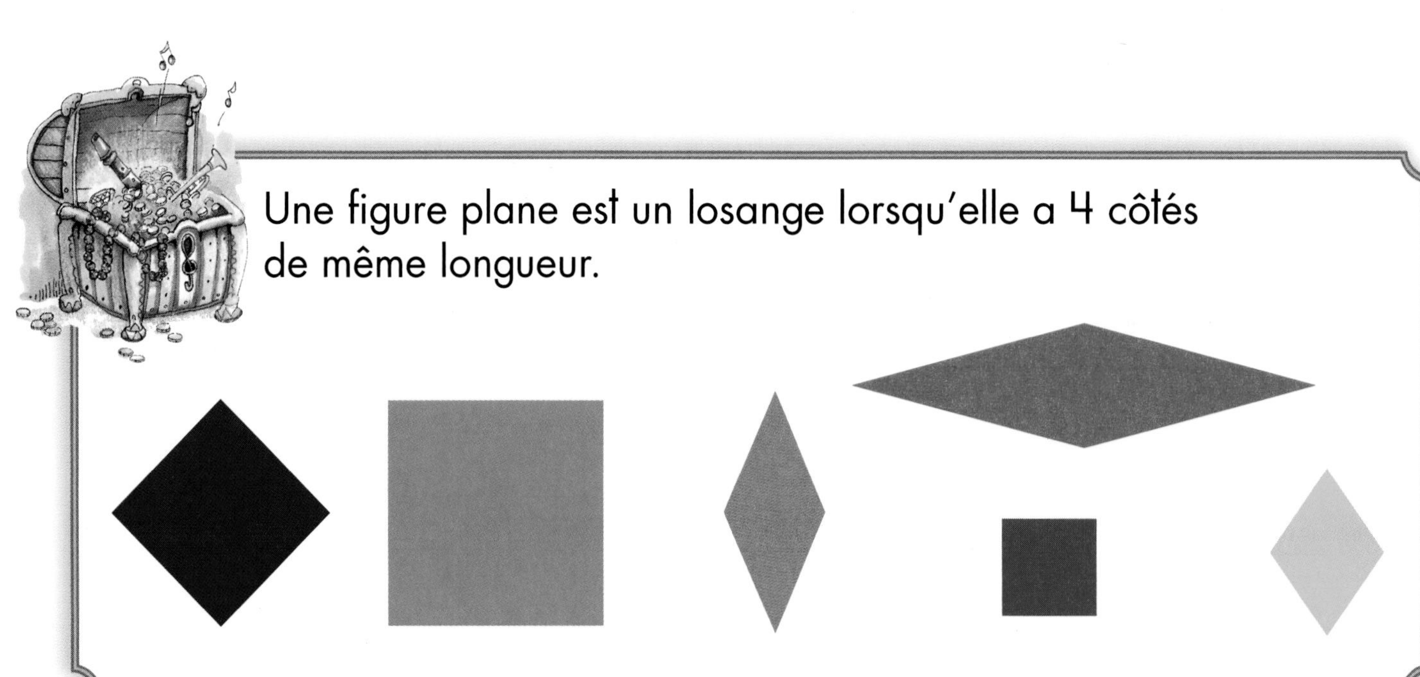

Une figure plane est un losange lorsqu'elle a 4 côtés de même longueur.

A Reproduis sur la feuille qu'on te remettra des figures planes identiques à celles illustrées ci-dessous.
Utilise une règle.

B Décris chacune de ces figures en indiquant son nom, sa longueur et sa largeur.

C Colorie un demi de chaque figure à l'aide de deux couleurs différentes.

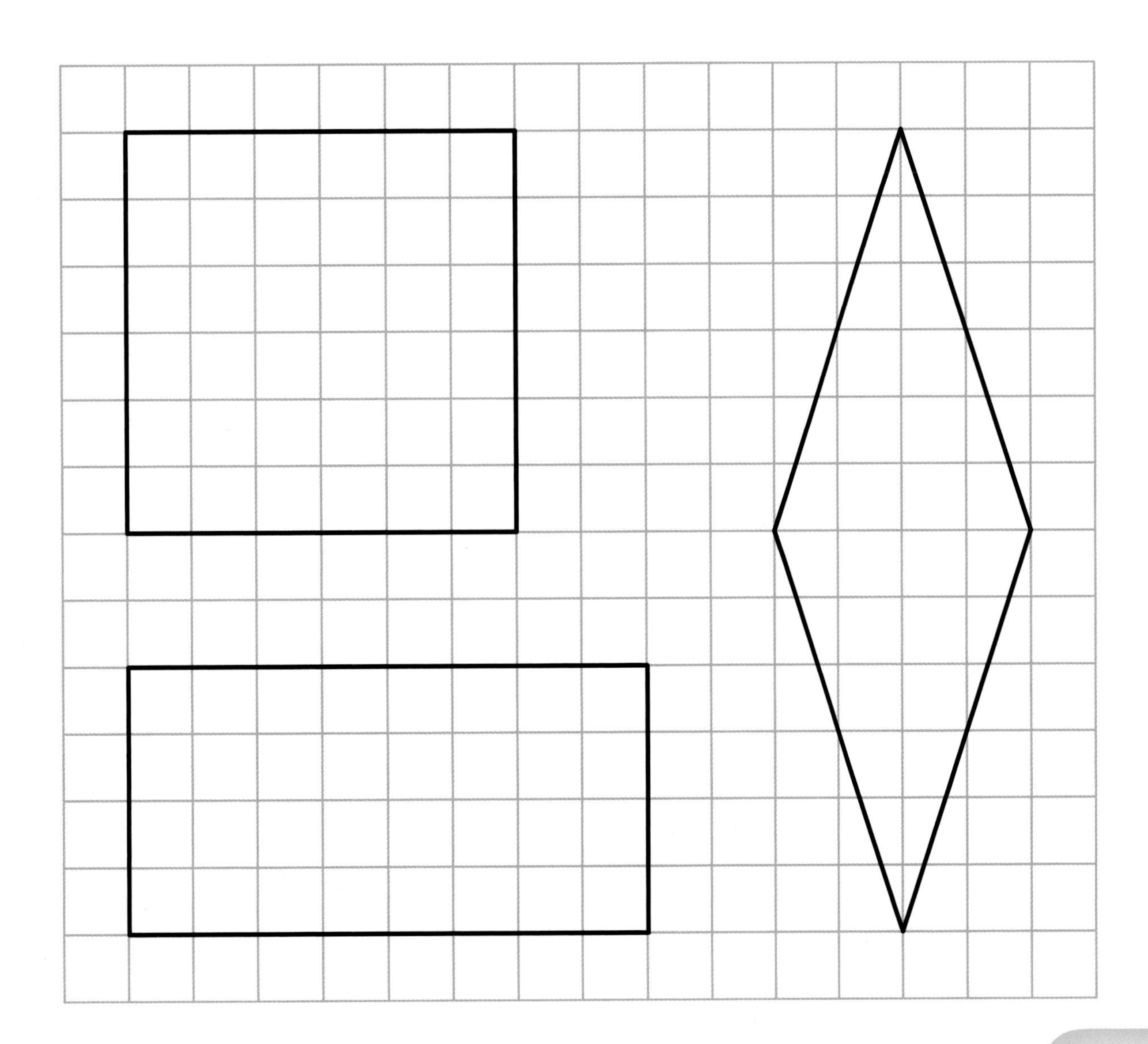

Leçon 94

Il y a 41 personnes dans un restaurant ce midi.
Dix-sept personnes quittent ce restaurant pour retourner au travail.
Quelle opération permet de trouver le nombre de personnes qui restent dans ce restaurant à ce moment ?

Représente cette opération à l'aide de matériel.
Quelle technique peux-tu utiliser pour effectuer par écrit cette opération ?

- Représente à l'aide de matériel ou d'un dessin chaque soustraction ci-dessous.
- Découvre une technique pour calculer par écrit le résultat de ces soustractions.
  Utilise cette technique et effectue ces soustractions.

A 45 − 29 = ?	**B** 37 − 18 = ?
C 42 − 27 = ?	**D** 31 − 15 = ?
E 46 − 27 = ?	**F** 22 − 9 = ?
G 47 − 38 = ?	**H** 33 − 16 = ?

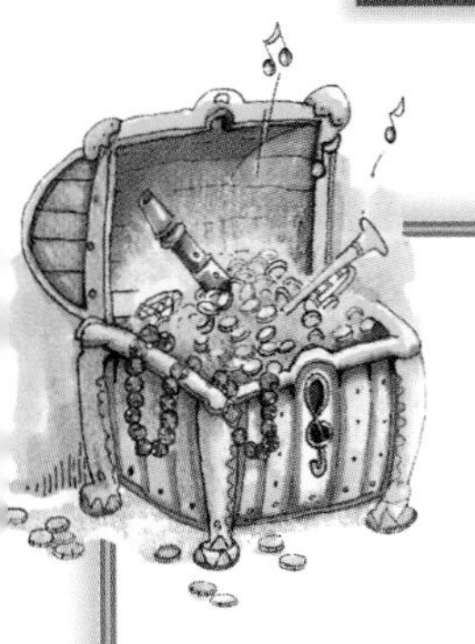

Il existe différentes techniques pour soustraire par écrit des nombres. J'ai découvert la mienne et je l'utilise.

42 − 15 = ?
42 = 30 + 12
30 − 15 = 15
15 + 12 = 27
42 − 15 = 27

$$\begin{array}{rl} 42 = & 30 + 12 \\ - \; 15 = & 10 + 5 \\ \hline 27 = & 20 + 7 \end{array}$$

	D	U
	3 ~~4~~	10 2
−	1	5
	2	7

Etc.

1 Le jeu des « blocs »

Nombre d'élèves : 2 ou 3

Matériel : des pions, un dé et des « blocs » multibases, base 10

Un ou une élève joue le rôle d'arbitre et distribue à chaque élève 4 bâtonnets et 9 petits cubes.
Chaque élève place son pion sur la case **Départ**.
Lorsque c'est ton tour :

- jette le dé et avance ton pion sur les cases selon le nombre obtenu ;
- effectue la consigne indiquée.

Le jeu se termine lorsque tous les élèves ont atteint la case **Arrivée**.
L'élève qui peut représenter le plus petit nombre avec tous ses « blocs » multibases gagne la partie.

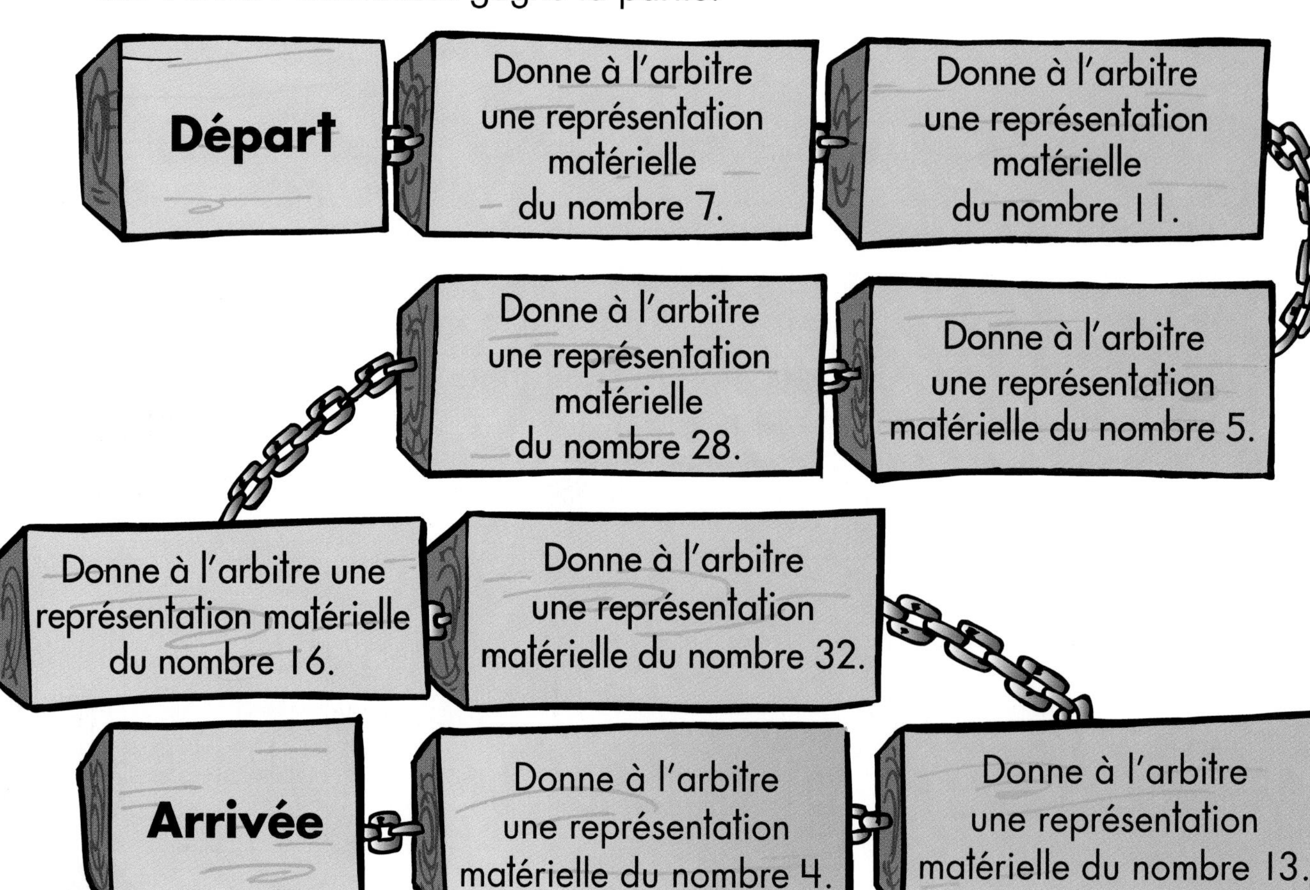

Leçon 95

C'est dimanche et Philippe se rend chez le disquaire avec sa mère.
Quelle heure est-il présentement ?
Est-ce que le magasin est ouvert ?
Est-ce qu'il ouvrira bientôt ?

À quels moments de la journée les heures d'ouverture et de fermeture de ce magasin correspondent-elles ?

HORAIRE		
	OUVERT	FERMÉ
Dimanche	12:30	16:30
Lundi	13:00	17:30
Mardi	09:00	17:30
Mercredi	09:00	17:30
Jeudi	09:00	21:00
Vendredi	09:00	21:00
Samedi	09:00	12:00

1
- Construis l'horloge sur la feuille qu'on te remettra.
- Représente sur cette horloge les heures d'ouverture et de fermeture du disquaire.

2 Utilise l'horloge fabriquée au numéro 1 pour répondre aux questions suivantes.

A Pendant combien d'heures le disquaire est-il ouvert le dimanche ?

B Pendant combien d'heures le disquaire est-il ouvert le vendredi ?

C Pendant combien d'heures le disquaire est-il ouvert le samedi ?

HORAIRE		
	OUVERT	FERMÉ
Dimanche	12:30	16:30
Lundi	13:00	17:30
Mardi	09:00	17:30
Mercredi	09:00	17:30
Jeudi	09:00	21:00
Vendredi	09:00	21:00
Samedi	09:00	12:00

1 Le jeu « Quelle heure est-il ? »

Nombre d'élèves : 3 ou 4 | Matériel : des jetons et un dé

Construis le dé sur la feuille qu'on te remettra.
Un ou une élève joue le rôle d'arbitre.
Chaque élève utilise une couleur de jetons.
Lorsque c'est ton tour :

- jette le dé;
- place un jeton sur l'heure qui peut correspondre à l'expression indiquée sur le dé.

L'arbitre indique si l'heure choisie est correcte.
Le jeu se termine lorsqu'il y a un jeton sur tous les cadrans.
L'élève qui a le plus de jetons sur les cadrans gagne la partie.

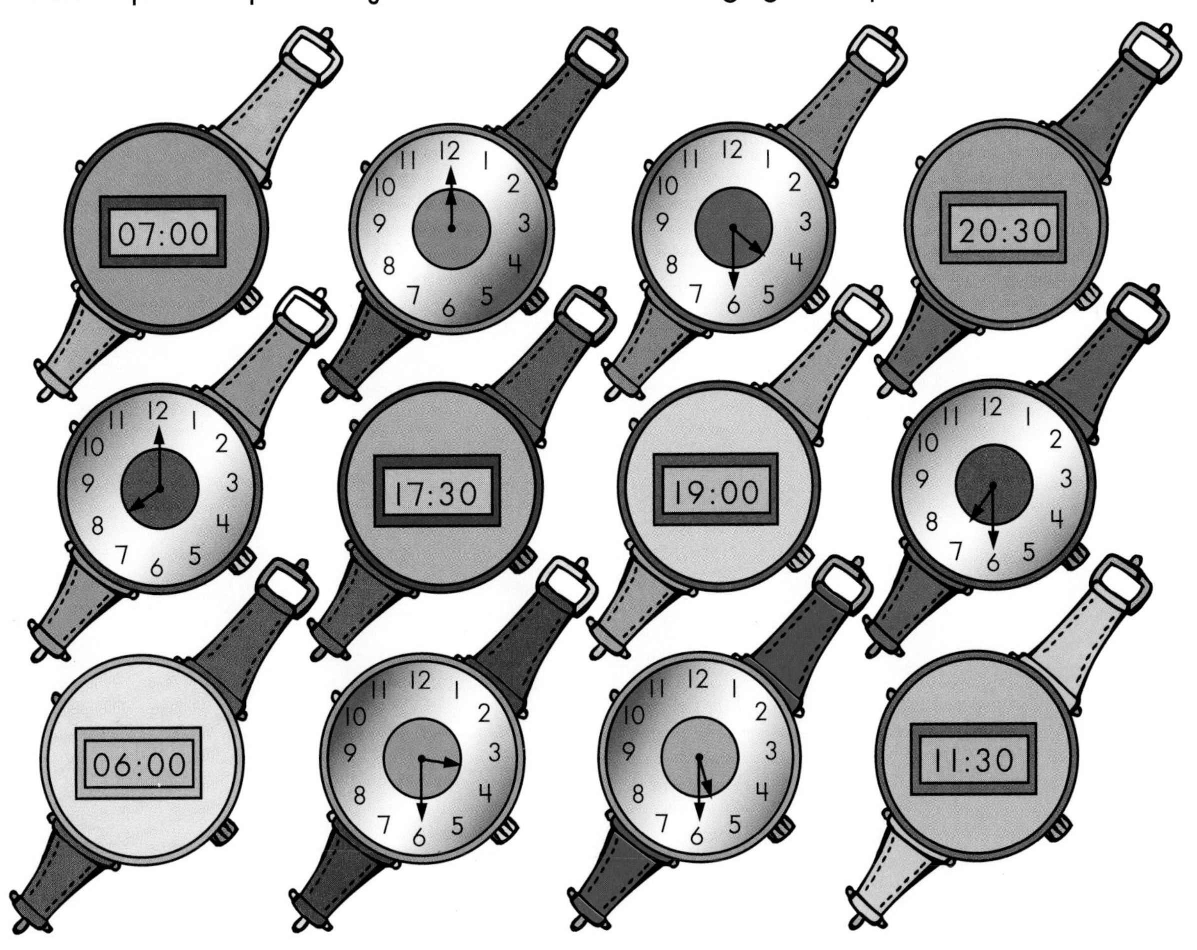

Leçon 96

Kim et Adoul jettent 2 dés et additionnent les nombres obtenus pour savoir qui jouera en premier.
De quelle façon pourrais-tu procéder pour trouver toutes les combinaisons de nombres qu'ils peuvent obtenir ?

Quels nombres Kim peut-elle avoir obtenus si elle a une somme de 6 ?

1 Trouve toutes les combinaisons de nombres qu'il est possible d'obtenir lorsque l'on jette 2 dés.
Utilise un tableau, un diagramme ou un autre moyen.

2 Compare les résultats obtenus et les moyens utilisés au numéro 1 avec ceux d'autres élèves.

1 Le jeu des 3 dés rigolos

Nombre d'élèves : 3

Matériel : des jetons, une planche de jeu et 3 dés

Indique sur la feuille qu'on te remettra des combinaisons qu'il est possible d'obtenir lorsqu'on jette 3 dés.
Utilise cette feuille comme une planche de jeu.
Chaque élève utilise une couleur de jetons.
Lorsque c'est ton tour :

- jette les dés;
- place un jeton sur la case qui correspond à la combinaison obtenue;
- si cette case n'existe pas, passe ton tour.

Le jeu se termine lorsque toutes les cases sont occupées.
L'élève qui a le plus de jetons sur les cases gagne la partie.

Choisis le numéro 2 ou le numéro 3.

2 Indique 6 combinaisons de nombres impairs qu'il est possible d'obtenir lorsqu'on jette 3 dés.

3 Indique 6 combinaisons de nombres pairs qu'il est possible d'obtenir lorsqu'on jette 3 dés.

Leçon 97

Jessica et Samuel ont construit des vers de terre à l'aide de 3 bandes de carton.
Pour déterminer la longueur de chaque bande :

- ils ont jeté 2 dés trois fois de suite et trouvé chaque fois la somme des nombres obtenus ;
- chaque somme correspond à la longueur en centimètres d'une des bandes ;
- ils ont mesuré en centimètres la longueur de chaque bande et ont découpé les bandes.

D'après toi, qu'ont-ils fait ensuite ?
Quel ver de terre est le moins long ?

Jessica a obtenu chaque fois une somme de 5 avec les dés.
Quelle est la longueur totale de son ver de terre ?

Samuel a obtenu 3 sommes différentes avec les dés.
Quelle peut être la longueur de chaque bande de son ver de terre ?

- Construis un ver de terre à l'aide de 3 ou 4 bandes de carton. Procède de la même façon que Jessica et Samuel pour déterminer la longueur, en centimètres, de chaque bande.
- Utilise ton décimètre gradué en centimètres ou une règle centimétrique pour mesurer la longueur des bandes.
- Colorie ton ver de terre et indique la longueur en centimètres de chaque bande.

Compare la longueur de ton ver de terre avec celle des vers de terre d'autres élèves.
Indique le ver de terre le moins long, le moins court et la différence en centimètres entre ces longueurs.

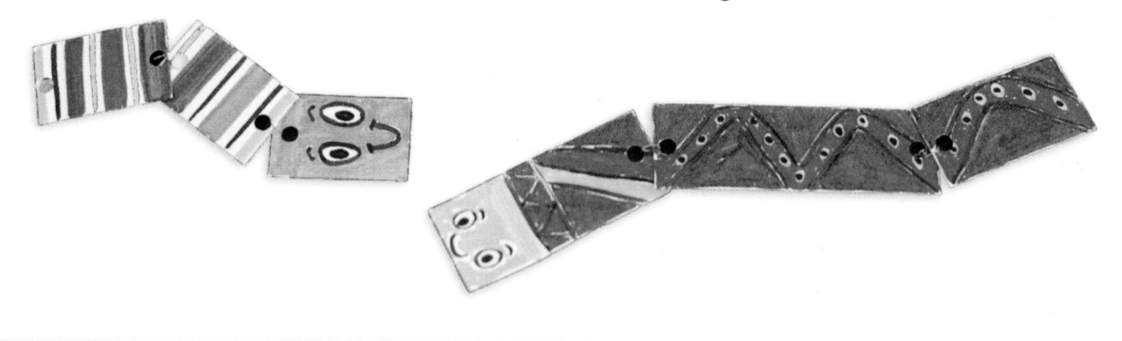

Le symbole de centimètre est « cm ».

Cette bande mesure 7 cm de longueur.

- Estime la longueur et la largeur en centimètres de chacun des rectangles illustrés ci-dessous.
- Mesure, en centimètres, la longueur et la largeur de chacun de ces rectangles.
- Indique tes résultats de mesure sur la feuille qu'on te remettra.

Discute avec d'autres élèves d'une façon de procéder pour obtenir une longueur de 2 dm en mettant bout à bout des rectangles identiques au rectangle orange du numéro 1.

Leçon 98

Un groupe de 12 bernaches s'est posé sur le lac près de la maison de Taïna. Taïna fait une recherche pour découvrir les habitudes de ces oiseaux. Elle apprend qu'ils pondent de 4 à 7 oeufs. L'incubation de ces oeufs dure 28 jours. L'âge des bernaches au premier envol est d'environ 19 jours. Combien de jours s'écoulent entre la ponte des oeufs et le premier envol des bernaches ?

Quels nombres sont inutiles pour résoudre cette situation ?
Quelle opération dois-tu effectuer pour résoudre cette situation ?
De quelle façon peux-tu procéder pour effectuer cette opération ?

Résous les situations ci-dessous.
Laisse les traces de tes démarches.

Les oies blanches pondent de 3 à 5 oeufs.
L'incubation de ces oeufs dure de 23 à 25 jours.
L'âge des oies au premier envol est d'environ 47 jours.
Combien de jours s'écoulent entre la ponte des oeufs et le premier envol des oies ? Trouve 3 réponses différentes.

Le petit pingouin se nourrit de poissons.
Il peut rester sous l'eau presque 60 secondes.
Il peut porter jusqu'à 9 poissons à la fois dans son bec à chaque voyage vers ses petits.
Quel est le plus grand nombre de poissons qu'il peut porter au bout de 4 voyages ?

Le macareux mange des petits poissons, des crustacés et des calmars.
Il porte habituellement de 5 à 12 proies dans son bec.
On a déjà observé des macareux qui portaient 60 proies à la fois.
Combien de proies ces macareux portaient-ils de plus que le nombre habituel ? Trouve 5 réponses différentes.

Le tableau suivant indique la longueur, en centimètres, de certains oiseaux.
Utilise-le pour imaginer 3 situations mathématiques.

Oiseau	Longueur
Colibri	9 cm
Goéland	64 cm
Corneille	46 cm
Balbuzard pêcheur	61 cm
Pigeon	33 cm
Merle bleu	16 cm

Échange tes situations avec celles d'autres élèves et résous-les.
Laisse les traces de tes démarches.

Les jeux de Rondo

Le jeu des coffres au trésor

Nombres d'élèves : 3 ou 4 | Matériel : des dominos et des jetons

Une ou un élève du groupe joue le rôle d'arbitre et dispose les dominos face cachée.
Chaque élève utilise une couleur de jetons.
Lorsque c'est ton tour :

- prends un domino ;
- place un jeton sur le coffre qui contient la soustraction dont le terme manquant correspond au nombre total indiqué sur le domino ;
- s'il n'y a aucune soustraction qui convient, passe ton tour et remets le domino à sa place.

L'arbitre vérifie si le résultat est exact.
Le jeu se termine lorsque toutes les soustractions sont choisies.
L'élève qui a le plus de jetons sur les coffres gagne la partie.

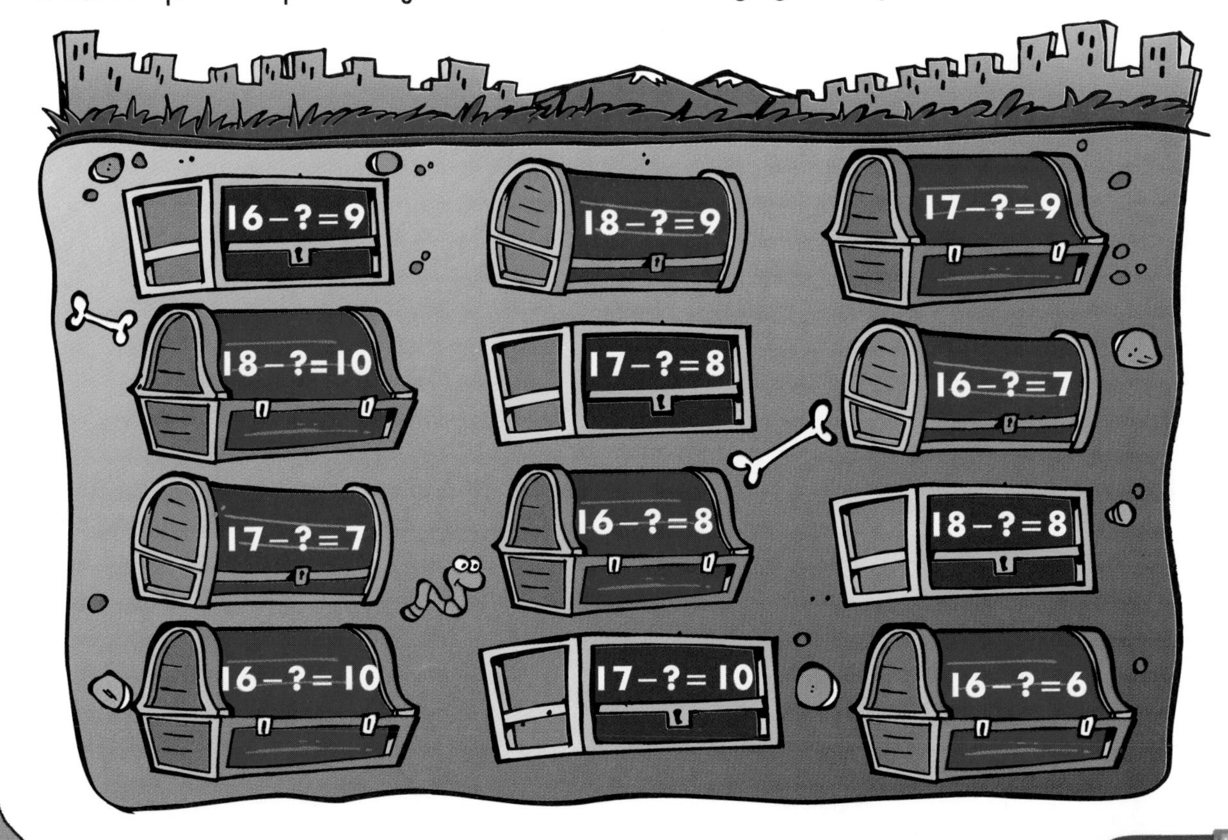

Au diapason 14

Écris tes réponses sur une feuille ou sur l'ardoise.
Utilise du matériel si tu en as besoin.

1 Effectue les additions suivantes.

A 13 + 19 = ? **B** 25 + 8 = ? **C** 26 + 17 = ?

2 **A** Indique de gauche à droite le nom de chaque figure plane illustrée ci-dessous.

B De quelles couleurs sont les figures qui ont la même longueur ?

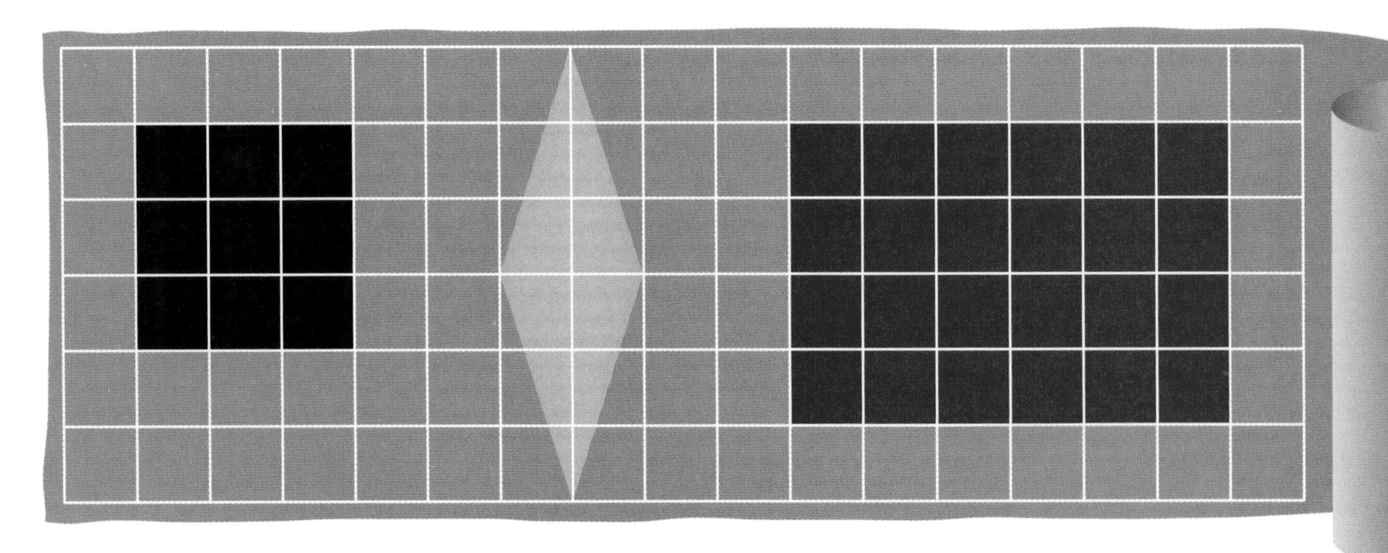

3 Effectue les soustractions suivantes.

A 45 − 17 = ? **B** 24 − 8 = ? **C** 36 − 19 = ?

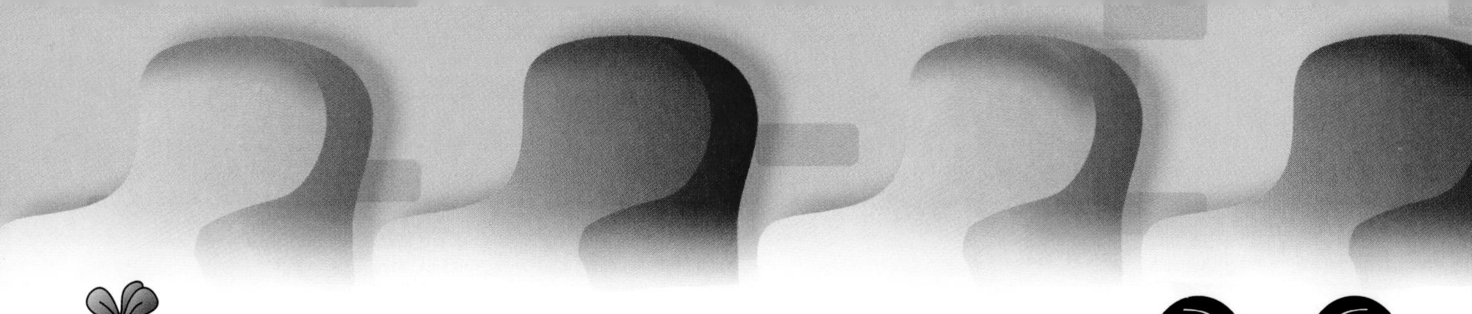

Quelle heure indique chacune des horloges ci-contre ?

Quelles combinaisons de nombres permettent d'obtenir une somme de 8 lorsque l'on jette 2 dés ?
Indique toutes les combinaisons qui sont possibles.

Quelle est la différence, en centimètres, entre la ligne la plus longue et la ligne la plus courte ci-dessous ?
Utilise ta bande graduée en centimètres.

Résous la situation suivante.
Laisse les traces de ta démarche.

> Luc a installé 3 mangeoires pour les oiseaux.
> Ce matin, il y avait entre 25 et 30 oiseaux à l'une de ces mangeoires et 6 oiseaux à chacune des autres mangeoires.
> Quel nombre total d'oiseaux y avait-il ce matin à ces mangeoires ?
> Trouve 2 réponses différentes.

Les trésors sous la ville de *CONCERTO*

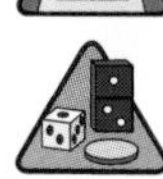
Écris tes réponses sur une feuille ou sur l'ardoise.
Utilise du matériel si tu en as besoin.

Il y a 408 personnes qui attendent à une station de métro.

A Écris 5 nombres impairs qui sont plus grands que ce nombre et qui ont le même chiffre à la position des dizaines.

B Choisis un nombre parmi ceux que tu as écrits en A. Décompose ce nombre à l'aide d'une addition.

A On fait tirer des billets de métro.
Les numéros gagnants correspondent aux résultats des opérations suivantes.
Quels sont les numéros gagnants ?

42 − 26 = ?

18 + 29 = ?

B Quelles opérations dois-tu effectuer pour vérifier ces résultats ?

3 Le dessin ci-contre se trouve sur les murs d'une station du métro.
Quelles figures planes a-t-on utilisées pour faire ce dessin ?
Indique la couleur et le nom de chaque figure.

4 Mesure, en centimètres, la longueur de chacun des côtés du losange illustré au numéro 3.
Utilise ta bande graduée en centimètres.
Quel résultat de mesure obtiens-tu ?

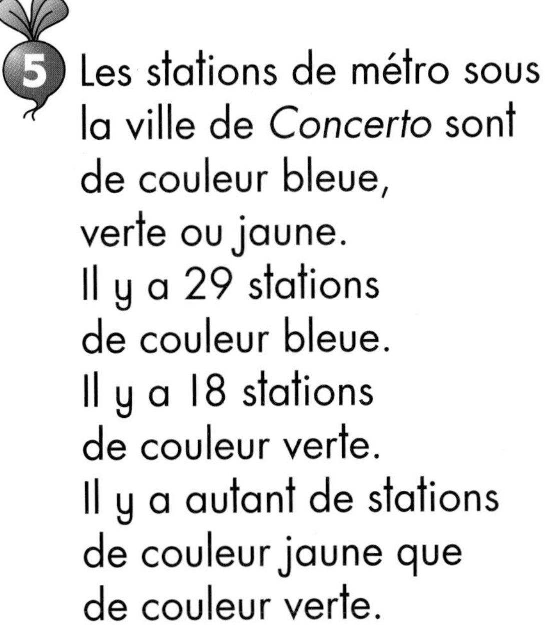

5 Les stations de métro sous la ville de *Concerto* sont de couleur bleue, verte ou jaune.
Il y a 29 stations de couleur bleue.
Il y a 18 stations de couleur verte.
Il y a autant de stations de couleur jaune que de couleur verte.
Combien de stations de métro y a-t-il en tout ?

La caverne de la calculatrice

Nombre d'élèves : 2 | Matériel : une calculatrice

Indique la séquence de touches sur lesquelles tu as appuyé pour trouver chaque réponse.

1

Affiche le nombre 538 sur la calculatrice. Utilise seulement les touches [0] [1] [+] [=].

2

Affiche le nombre 406 sur la calculatrice. Utilise seulement les touches [0] [1] [+] [=].

3

Affiche le nombre 570 sur la calculatrice. Utilise seulement les touches [0] [1] [+] [=].

Réalise les activités ci-dessous à l'aide d'un ordinateur.

- Trace un rectangle ayant une largeur de 6 cm et une longueur de 10 cm.
- Trace un autre rectangle qui a 2 cm de moins de largeur et de longueur que le premier rectangle.

Construis un instrument de mesure.
Cet instrument peut mesurer, en centimètres, des longueurs jusqu'à 2 dm.

- Réalise une planche de jeu qui servira pour un jeu d'addition et de soustraction que tu auras imaginé.
- Écris les règles de ton jeu.

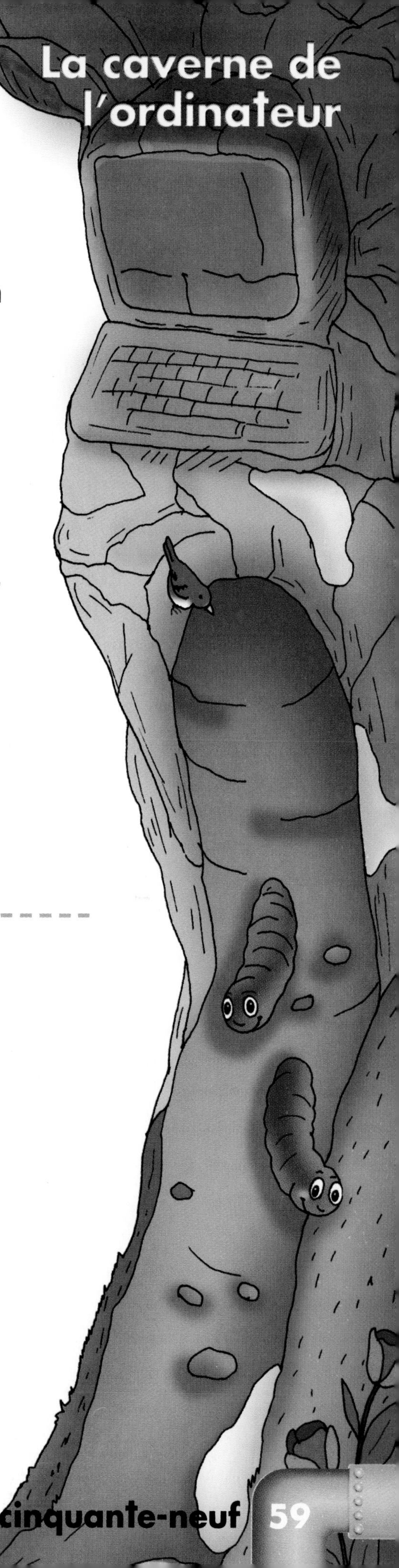

Les Égyptiens

Réalise un sketch avec d'autres élèves.

- Présente une situation mathématique dont le thème est l'Égypte ancienne, ses personnages célèbres et leur façon de vivre.
- Écris le scénario de ton sketch et la situation mathématique présentée.
  Utilise des termes mathématiques.
- Fabrique les costumes et les accessoires en utilisant des solides géométriques et des figures planes.
- Présente ton sketch et fais résoudre ta situation.

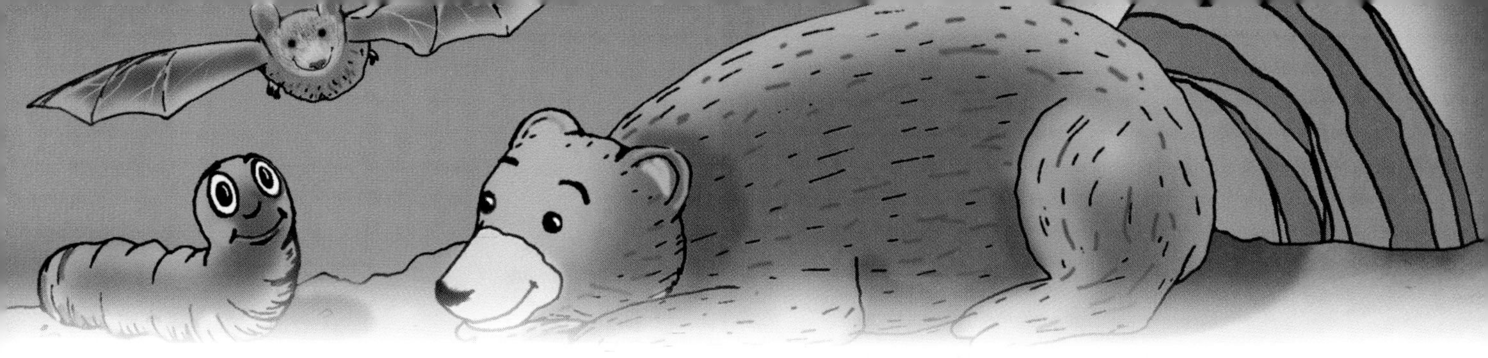

Leçon 99

Pedro a écrit des nombres entre 500 et 1000 sur des poissons.
Estime le nombre de poissons qu'il a utilisés.

Observe les nombres sur les poissons.
Place un doigt sur un nombre dont le chiffre à la position des dizaines est 5 et celui à la position des centaines est 7.

Récite les nombres qui se situent entre ce nombre et celui qui est immédiatement à sa droite.
Commence par le plus grand nombre.

1 Écris une suite de nombres entre 500 et 1000 sur des poissons.
Respecte les consignes suivantes.

- Détermine le premier nombre de la suite en jetant 3 dés.
  La règle de la suite doit être « + 10 ».
- Estime le nombre de poissons que tu devras découper sur les feuilles qu'on te remettra.
- Écris les nombres sur les poissons.
- Colle les poissons sur un carton.
  Place dans la même colonne les nombres qui ont le même chiffre à la position des dizaines.
  Respecte l'ordre de la suite de nombres.

2 Imagine un jeu avec d'autres élèves.
Utilise la suite de nombres sur les poissons au numéro 1.

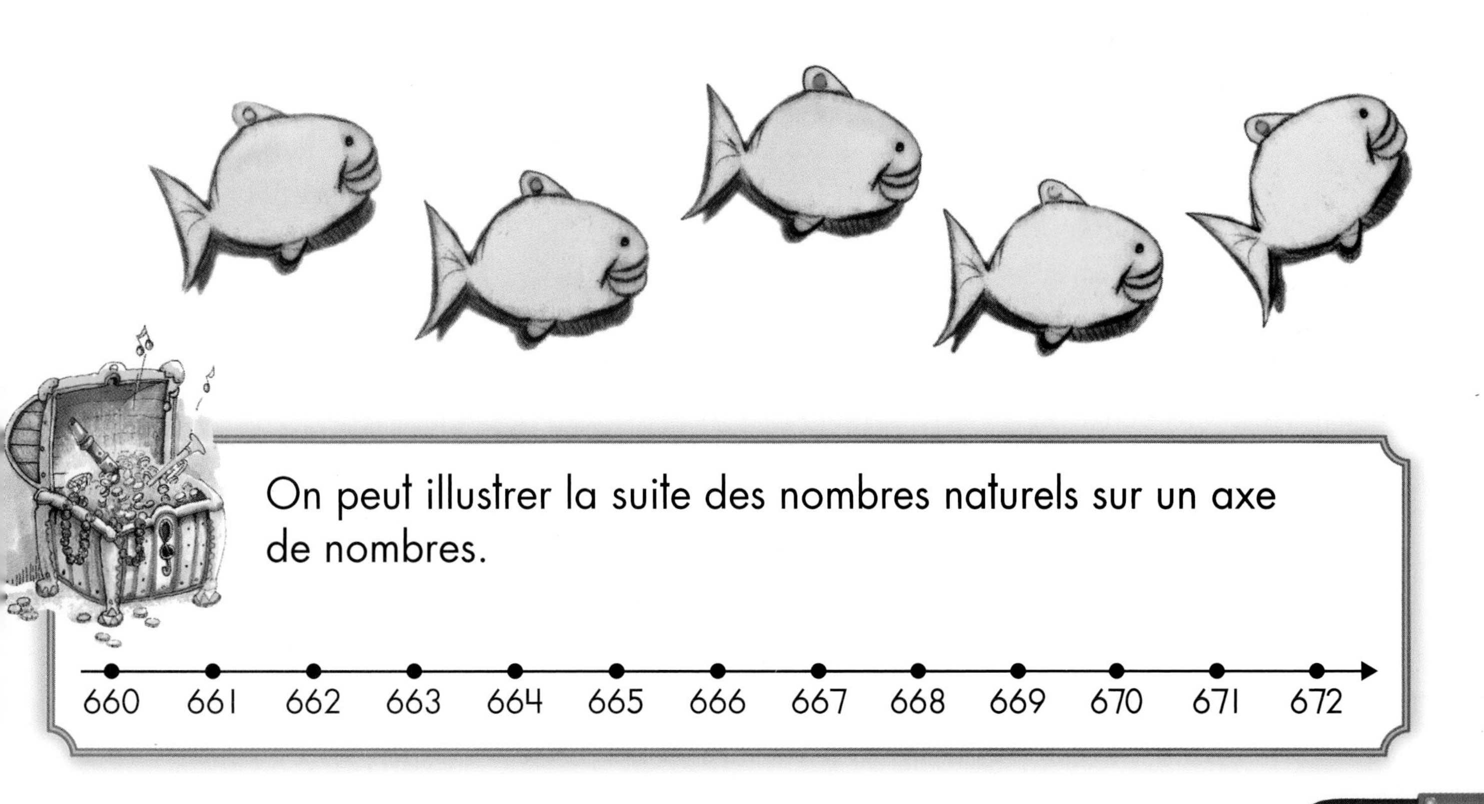

On peut illustrer la suite des nombres naturels sur un axe de nombres.

660 661 662 663 664 665 666 667 668 669 670 671 672

1 Le jeu du 7, du 8 et du 9

Nombre d'élèves : 3

Matériel : des jetons, des bouts de papier, un sac et la planche de jeu qu'on te remettra

Écris sur des bouts de papier les chiffres 7, 8 et 9.
Utilise un bout de papier pour chaque chiffre.
Place ces bouts de papier dans un sac.
Chaque élève utilise une couleur de jetons.
Lorsque c'est ton tour :

- tire 3 bouts de papier ;
- place ces bouts de papier de façon à former un nombre ;
- place un jeton sur une case qui convient au nombre formé ;
- si cette case est occupée, passe ton tour.

Le jeu se termine lorsque toutes les cases sont occupées.
L'élève qui a le plus de jetons sur les cases gagne la partie.

2 Imagine des propriétés ou des caractéristiques différentes de celles sur la planche de jeu au numéro 1.
Inscris-les sur la feuille qu'on te remettra.
Recommence le jeu du 7, du 8 et du 9 avec cette nouvelle planche de jeu.

Christophe a gagné 2 sacs de billes.
Quelle est la somme des billes que Christophe a gagnées ?
Quelle opération dois-tu effectuer pour trouver cette réponse ?

De quelle façon procéderais-tu pour effectuer ce calcul ?
De quelle façon procéderais-tu pour vérifier si ton calcul est exact ?

1 Cet après-midi, on fera tirer les sacs de billes illustrés ci-dessous.

A Trouve toutes les sommes de billes que l'on peut obtenir en gagnant 2 sacs de billes.
Effectue tes calculs par écrit.

B Vérifie chaque calcul en effectuant l'opération qui convient.

Choisis le numéro 1 ou le numéro 2.

1

A Représente les nombres 47, 39, 28 et 25 à l'aide de matériel. Place chacune de ces représentations dans une assiette de carton.

B Trouve toutes les combinaisons de 2 assiettes que tu peux faire.

C Trouve la somme des nombres pour chacune de ces combinaisons.

D Trouve la différence entre les nombres pour chacune de ces combinaisons.

2

Trouve les termes qui manquent dans les opérations suivantes. Représente ces opérations à l'aide de matériel ou de dessins. Effectue tes calculs par écrit.

A $56 + ? = 94$	**B** $42 + ? = 81$
C $83 - ? = 19$	**D** $95 - ? = 39$
E $? + 38 = 87$	**F** $? + 27 = 66$
G $90 - ? = 16$	**H** $74 - ? = 29$
I $33 + ? = 82$	**J** $64 + ? = 91$

Leçon 101

Des élèves ont fabriqué des arbres à l'aide de figures planes.
Observe la photo ci-dessous.
Quelles figures ont-ils utilisées ?

Comment peuvent-ils avoir procédé pour obtenir ces figures ?
Comment ont-ils fabriqué ces arbres ?

1. Fabrique des arbres à l'aide des figures planes suivantes : carré, rectangle, triangle, cercle, losange.
   Utilise le matériel de ton choix.

2. Présente les arbres que tu as fabriqués au numéro 1.
   Décris chaque figure plane à l'aide de termes géométriques.
   Réponds aux questions que l'on te posera.

1 Quelles figures parmi celles ci-dessous sont de même dimension ? Reproduis-les sur la feuille qu'on te remettra.

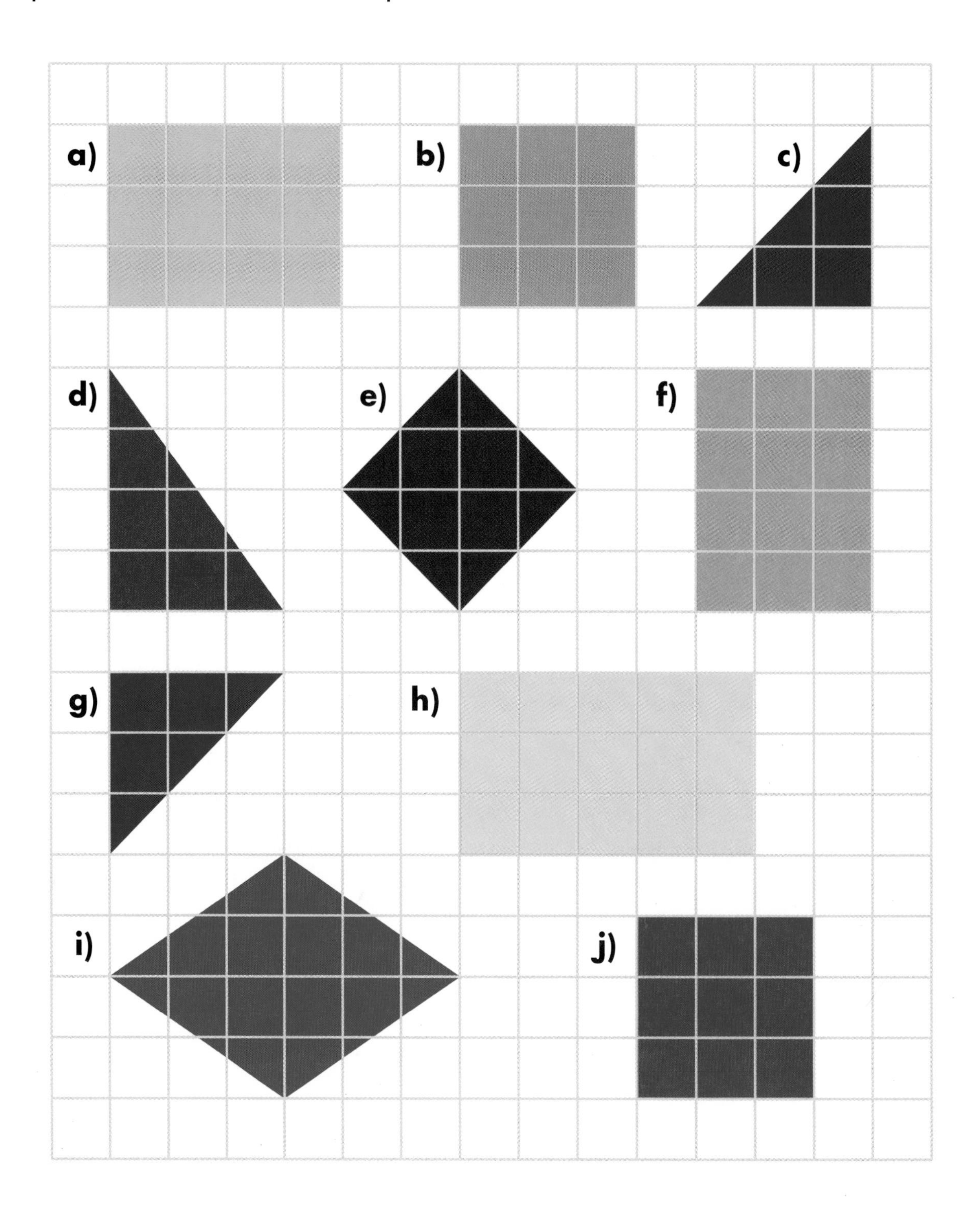

Leçon 102

Vanessa a réalisé un collier qui contient des indices pour découvrir un solide.
Observe le collier de Vanessa.

Quelle est la signification de ces indices ?
Quel solide Vanessa a-t-elle choisi ?

Quels autres indices pourrait-on donner ?

A Choisis un cube, un prisme ou une pyramide.

B Réalise un collier qui contient des indices pour que d'autres élèves découvrent le solide que tu as choisi.

Fais découvrir le solide que tu as choisi à l'aide de ton collier.

Discute avec d'autres élèves des indices que tu as utilisés sur ton collier.
Compare-les en indiquant des ressemblances et des différences.

I Le jeu des toupies

Nombre d'élèves : 2 ou 3

Matériel : 2 dés, des jetons, les feuilles qu'on te remettra et un sac

Les élèves découpent les cases sur les feuilles, les plient et les placent dans un sac.
Chaque élève utilise une couleur de jetons.
Lorsque c'est ton tour :

- jette les dés et tire un papier ;
- place un jeton sur une toupie dont le solide illustré correspond aux caractéristiques obtenues ;
- passe ton tour si aucun solide ne correspond à ces caractéristiques.

Le jeu se termine lorsque toutes les toupies sont occupées.
L'élève qui a le plus de jetons sur les toupies gagne la partie.

Leçon 103

Jaimie jette 6 dés.
Elle garde les dés dont le résultat est identique.
Elle jette à nouveau les dés qui restent 2 autres fois.
Elle garde chaque fois les dés dont le résultat est identique au premier.
Combien de fois Jaimie a-t-elle jeté les dés ?

Elle doit trouver le nombre total de points sur les dés qu'elle a gardés.
Comment peut-elle procéder pour trouver ce nombre ?
Décris une représentation visuelle, matérielle et symbolique de cette opération.

A Jette 6 dés et garde les dés dont le résultat est identique. Jette à nouveau les dés qui restent 2 autres fois.

B Quelle multiplication permet de trouver le nombre total de points sur les dés que tu as gardés ?

C Représente cette opération à l'aide de matériel et d'un dessin.

D Écris une addition qui est équivalente à cette multiplication.

E Recommence l'activité en jetant à nouveau les dés.

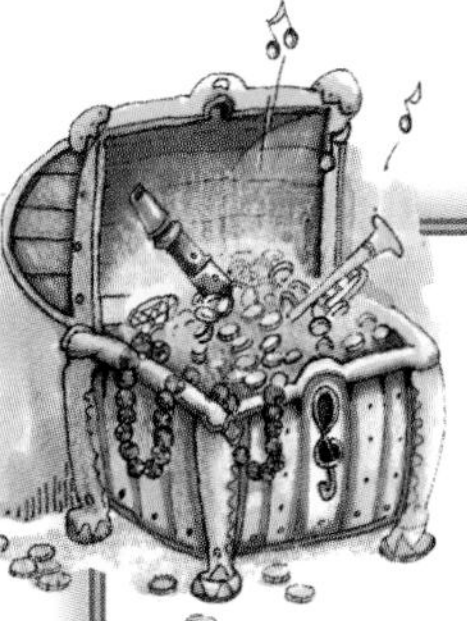

Une multiplication est une addition répétée.
On peut la représenter à l'aide de matériels, de dessins et d'opérations.

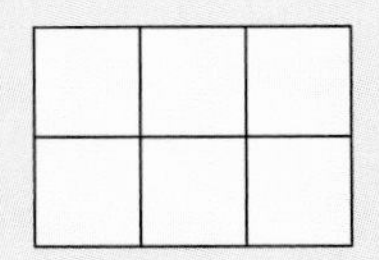

$2 + 2 + 2 = 6$

$3 \times 2 = 6$

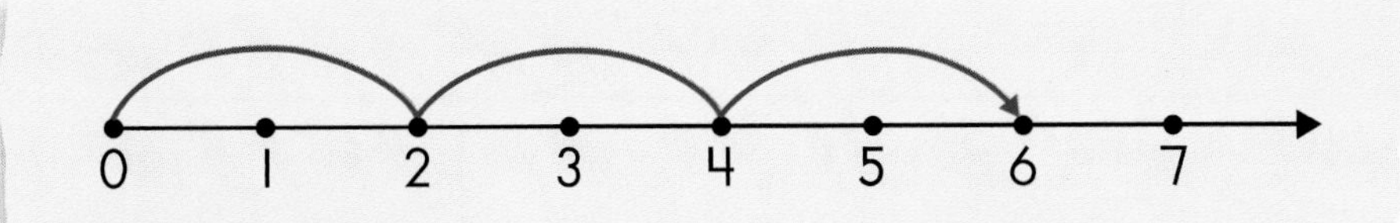

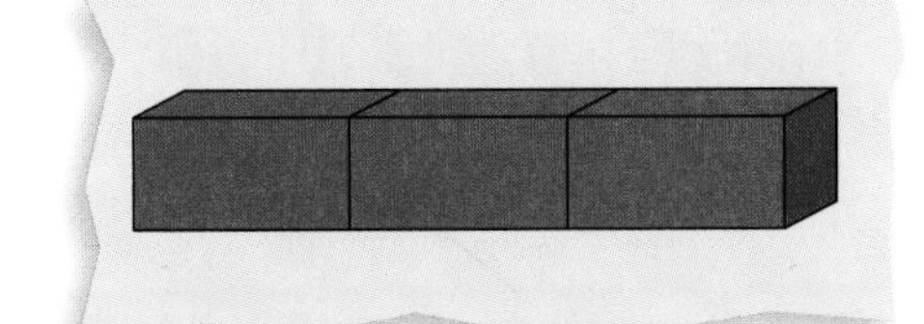

Etc.

1 Forme des tours de 4 étages à l'aide de cubes emboîtables.
Utilise les quantités indiquées ci-dessous.
Écris une addition et une multiplication qui peut correspondre à chacune de ces représentations.

2 Choisis les représentations qui sont équivalentes parmi celles indiquées ci-dessous.
Écris les lettres qui correspondent à tes choix.

a) 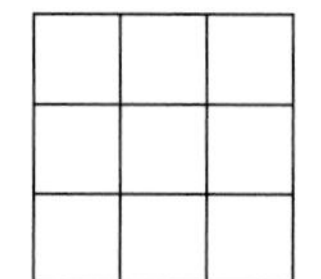

b) 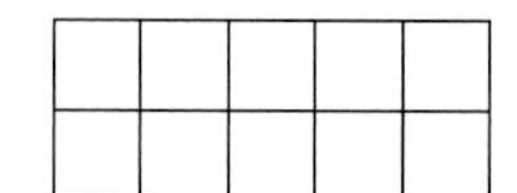

c) 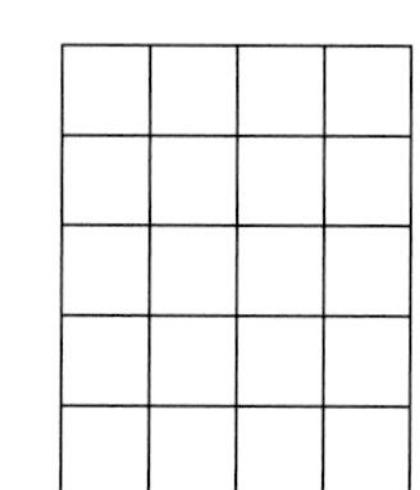

d) 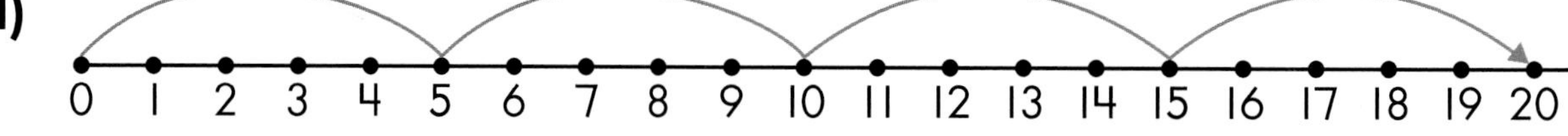

e) 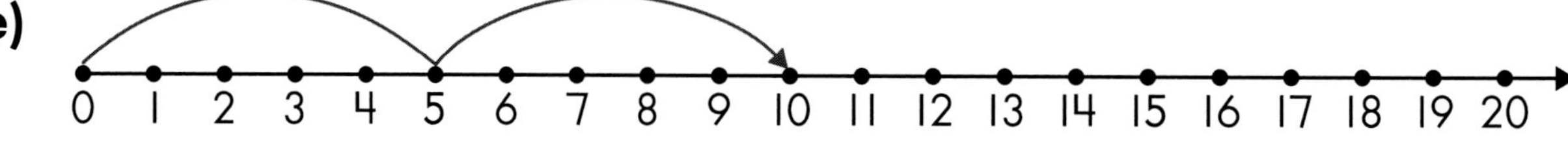

f) 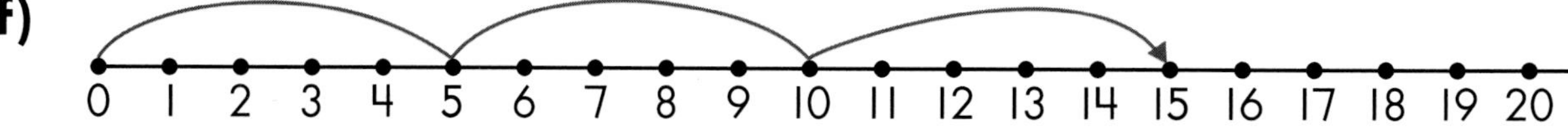

Leçon 104

Rémi monte sur un pèse-personne avec son chat de 10 ans.
Le cadran indique 41 kilogrammes.
Le chat de Rémi pèse 9 kilogrammes.
Combien de kilogrammes Rémi pèse-t-il ?
De quelle façon procéderais-tu pour trouver cette réponse ?

Si Rémi tenait dans ses bras 2 chats de 9 kilogrammes chacun, combien de kilogrammes le cadran indiquerait-il ?

Résous la situation suivante.
Laisse les traces de tes démarches.

Une personne doit monter sur un pèse-personne avec au moins 2 objets illustrés en a), b) ou c).
Choisis 8 possibilités parmi les illustrations ci-dessous.

- Indique la personne et les objets.
  Écris les lettres qui correspondent à tes choix.
- Indique le nombre de kilogrammes qu'indiquera le cadran du pèse-personne pour chacun de tes choix.

Résous les situations suivantes.
Laisse les traces de tes démarches.

1

A Sylvia se brosse les dents 3 fois chaque jour.
Elle laisse couler l'eau du robinet lorsqu'elle se brosse les dents.
Elle utilise environ 20 litres d'eau chaque fois qu'elle se brosse les dents.
Combien de litres d'eau Sylvia utilise-t-elle chaque jour pour se brosser les dents ?

B Éloi se brosse les dents 3 fois chaque jour.
Il ne laisse pas couler l'eau du robinet lorsqu'il se brosse les dents.
Il utilise environ 2 litres d'eau chaque fois qu'il se brosse les dents.
Combien de litres d'eau Éloi utilise-t-il chaque jour pour se brosser les dents ?

C Combien de litres d'eau Éloi utilise-t-il de moins que Sylvia chaque jour pour se brosser les dents ?

D Imagine 2 autres questions mathématiques à partir de ces informations.

Leçon 105

Jolène a découpé dans un journal des titres ou des mots reliés aux mesures de temps.
Explique dans tes mots leur signification.

Connais-tu d'autres mots reliés aux mesures de temps ?
Lesquels ?

Forme une phrase dans laquelle tu utilises un mot relié aux mesures de temps.

1 **A** Découpe dans un journal des titres ou des mots reliés aux mesures de temps.
Trouve des titres ou des mots qui concernent les mois, les jours de la semaine, les saisons et les heures.

B Colle ces titres ou ces mots sur un carton.

2 Présente aux autres élèves les titres ou les mots que tu as choisis au numéro 1.
Compare-les au moment présent en utilisant les mots ci-dessous.

PRÉSENT AUTREFOIS À VENIR

FUTUR BIENTÔT PENDANT

Dans les Maritimes, il est une heure plus tard qu'au Québec.
Les cadrans ci-dessous indiquent différentes heures au Québec.

Représente sur des cadrans les heures dans les Maritimes à ces moments-là.
Utilise la feuille qu'on te remettra.

À Vancouver, il est 3 heures plus tôt qu'au Québec.
Les cadrans ci-dessous indiquent différentes heures au Québec.

Représente sur des cadrans les heures à Vancouver à ces moments-là.
Utilise la feuille qu'on te remettra.

Léo a enregistré 4 émissions de télévision qui durent chacune 30 minutes.
Combien d'heures Léo doit-il consacrer à l'écoute de l'ensemble de ces émissions ?

Les jeux de Rondo

Le jeu des tuyaux

Nombre d'élèves : 3 ou 4

Matériel : 2 dés et des jetons

Une ou un élève du groupe joue le rôle d'arbitre.
Chaque élève utilise une couleur de jetons.
Lorsque c'est ton tour :

- jette les dés;
- place un jeton sur le tuyau qui contient une représentation qui convient à la multiplication des nombres obtenus;
- s'il n'y a aucune représentation qui convient, passe ton tour.

L'arbitre vérifie si le choix convient.
Le jeu se termine lorsque toutes les représentations sont choisies.
L'élève qui a le plus de jetons sur les tuyaux gagne la partie.

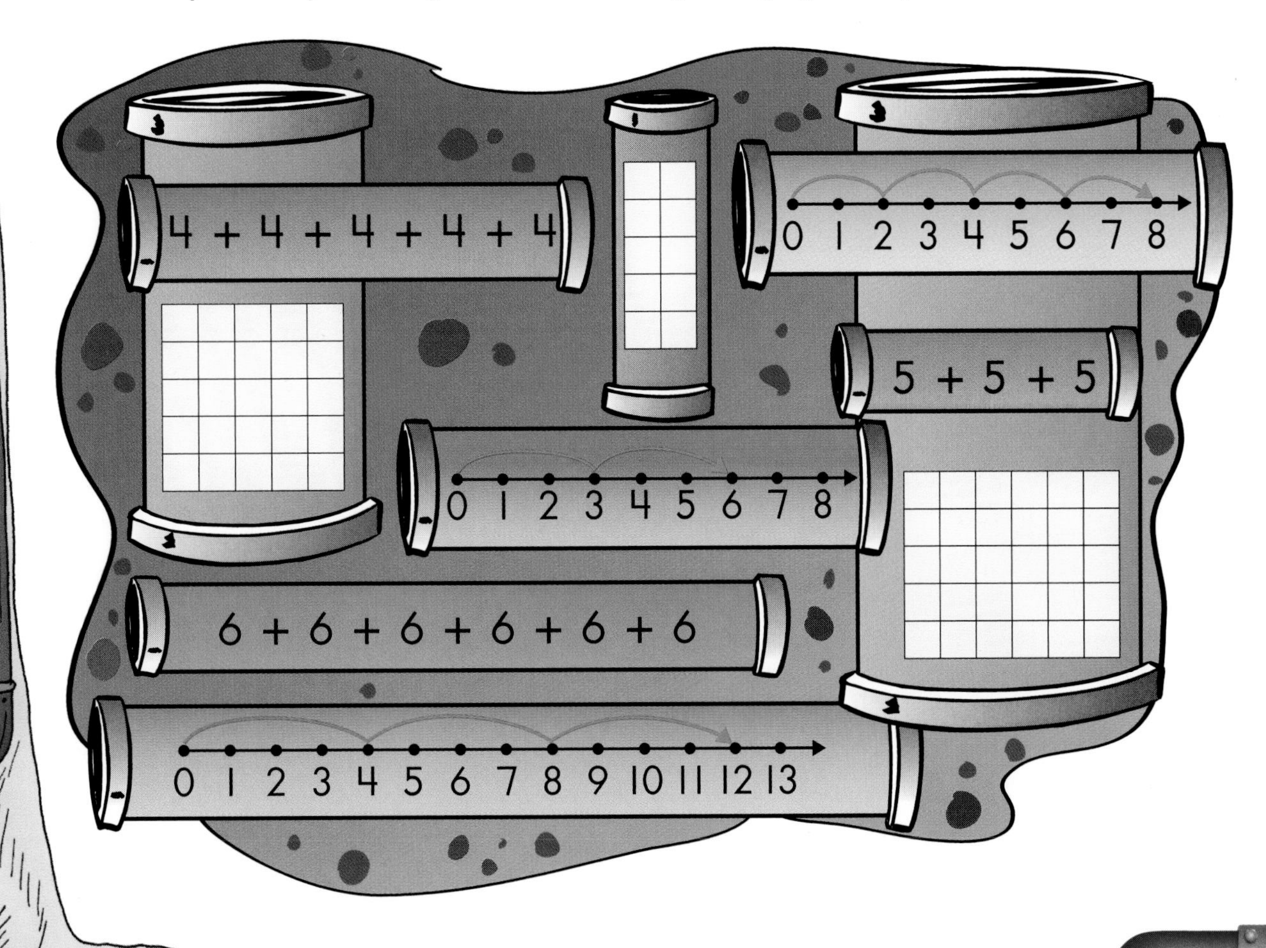

Au diapason 15

Écris tes réponses sur une feuille ou sur l'ardoise.
Utilise du matériel si tu en as besoin.

1 Écris le nombre qui vient immédiatement avant et celui qui vient immédiatement après chacun des nombres suivants.

A 660 **B** 700 **C** 899 **D** 910

2 Effectue, par écrit, les opérations suivantes.

A $38 + 45 = ?$ **B** $84 - 27 = ?$

C $44 + 49 = ?$ **D** $91 - 29 = ?$

3 Quelles figures planes parmi celles illustrées ci-dessous possèdent 4 côtés de même longueur ?
Écris les lettres qui correspondent à tes choix.

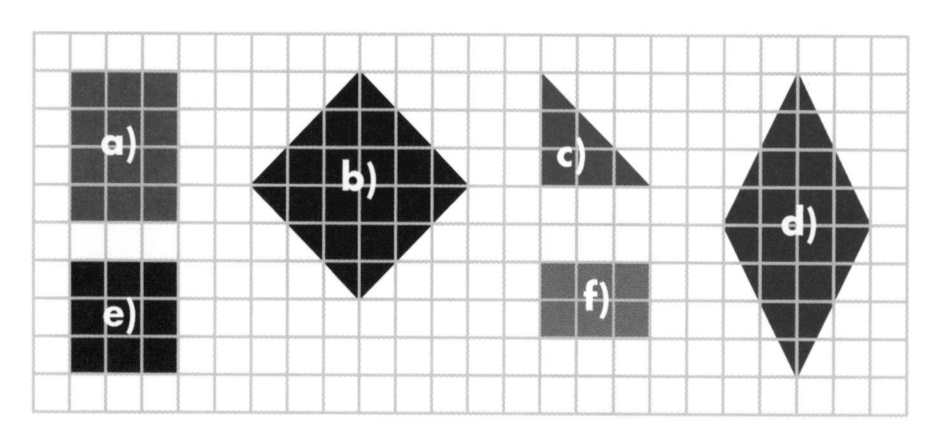

4. Quels sont les 3 solides qui ont une ressemblance parmi ceux ci-dessous ?
Écris les lettres qui correspondent à tes choix et indique la ressemblance entre ces solides.

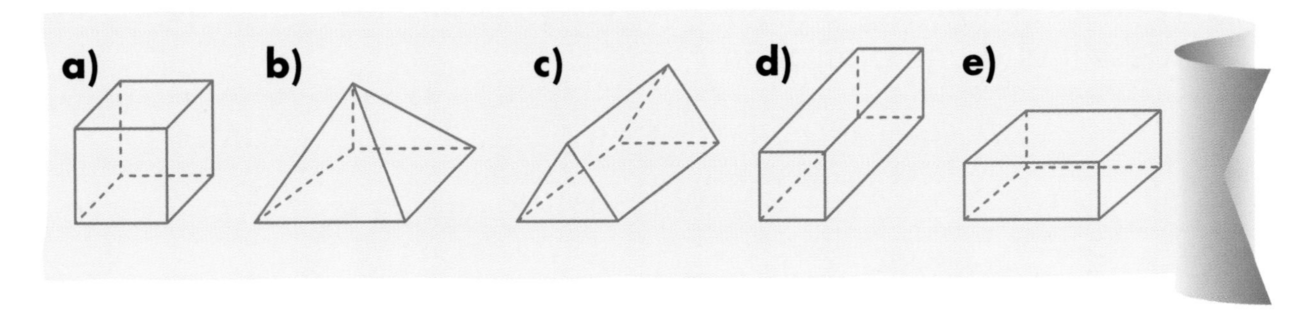

Quelle addition peut représenter la multiplication 3×4 ?

Résous la situation suivante.
Laisse les traces de ta démarche.

Sébastien pèse 37 kilogrammes.
Il monte sur un pèse-personne en tenant dans ses mains 2 haltères pesant chacun 4 kilogrammes.
Combien de kilogrammes le cadran du pèse-personne indiquera-t-il ?

Marie-Lise est née un mercredi.
C'était le 25 juin.
Quel jour était le 1er juillet à ce moment-là ?

Leçon 106

Sabrina veut donner 6 friandises à ses 3 perroquets.
Elle veut partager également ces friandises entre eux.
Combien de friandises chaque perroquet recevra-t-il ?

De quelle façon peux-tu représenter cette situation à l'aide de matériel, d'un dessin et d'une opération ?

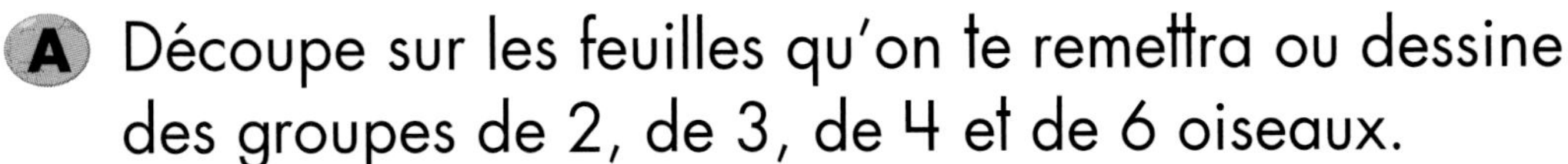

A Découpe sur les feuilles qu'on te remettra ou dessine des groupes de 2, de 3, de 4 et de 6 oiseaux.

B Partage également 12 friandises entre les oiseaux de chaque groupe.
Utilise des jetons pour illustrer les friandises.

C Indique le nombre de friandises que recevra un oiseau dans chaque groupe.

D Représente chacune de ces situations à l'aide d'un dessin et d'une opération.

Dans quel groupe les oiseaux ont-ils reçu le plus de friandises ?

Dans quel groupe les oiseaux ont-ils reçu le moins de friandises ?

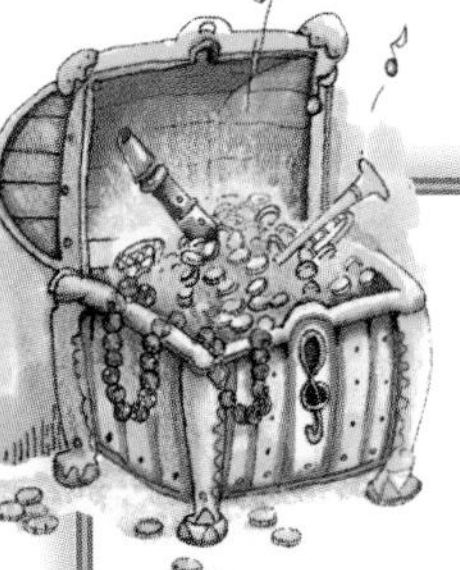

La division est l'opération contraire de la multiplication.
Elle représente un partage ou le nombre de fois qu'une quantité est contenue dans une autre.

Combien de groupes de 2 sont contenus dans un groupe de 6 ?

On veut partager également 6 jetons entre 3 personnes.
Combien de jetons chaque personne recevra-t-elle ?

$6 \div 2 = 3$

1 Le jeu des jetons

Nombre d'élèves : 3 Matériel : des jetons et des cartes

Un ou une élève du groupe joue le rôle d'arbitre.
Les élèves découpent les cartes sur la feuille qu'on leur remettra.
L'arbitre brasse ces cartes et les place en pile.
Lorsque c'est ton tour :

- demande à l'arbitre de te remettre une carte ;
- lis la question ;
- réponds à cette question à l'aide des jetons que te remettra l'arbitre.

L'arbitre vérifie la réponse.
Si elle est exacte, l'élève garde la carte.
Le jeu se termine lorsque toutes les cartes sont épuisées.
L'élève qui a le plus de cartes gagne la partie.

2 Arthur a mal à la gorge.
Sa mère lui remet la section d'une boîte de pastilles illustrée ci-contre.
Elle lui demande de prendre 2 pastilles par jour.
Pour combien de jours cet emballage convient-il ?

Leçon 107

Des élèves doivent couper des cure-pipes de différentes longueurs pour un bricolage.

Lauren veut obtenir une longueur équivalente à un demi de celle du cure-pipe.
De quelle façon procède-t-elle pour obtenir cette longueur ?
Quelle fraction de la longueur du cure-pipe cette longueur représente-t-elle ?
Comment représente-t-on cette fraction à l'aide de symboles ?

Samuel veut obtenir une longueur équivalente à un quart de celle du cure-pipe.
De quelle façon procède-t-il pour obtenir cette longueur ?
Quelle fraction de la longueur du cure-pipe chacune de ces longueurs représente-t-elle ?
Comment représente-t-on cette fraction à l'aide de symboles ?

1. Représente des fractions de la longueur d'un cure-pipe.
Utilise seulement 2 cure-pipes pour représenter toutes les fractions indiquées ci-dessous.

A $\frac{1}{2}$ **B** $\frac{1}{4}$ **C** $\frac{2}{4}$ **D** $\frac{3}{4}$

2. Écris sur une étiquette chacune des fractions indiquées au numéro 1.
Colle chaque étiquette sur la partie des cure-pipes qui convient.

3. Compare tes résultats des numéros 1 et 2 avec ceux d'autres élèves.
Discute des moyens utilisés et compare les différentes longueurs obtenues.

La fraction sert à noter certains nombres, par exemple un quart du cercle est colorié ci-dessous.

$\frac{1}{2}$ $\frac{1}{4}$ 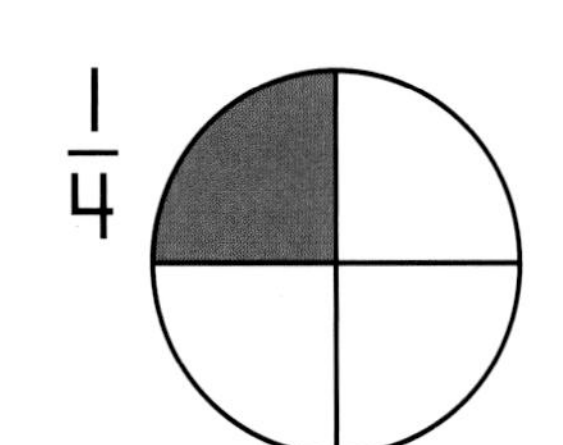 $\frac{2}{4}$ 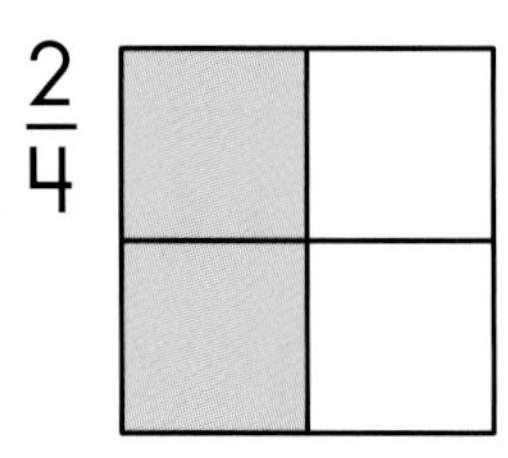 $\frac{3}{4}$

1 Indique la couleur des réglettes qui correspondent à chacune des fractions de la réglette marron indiquées ci-dessous.

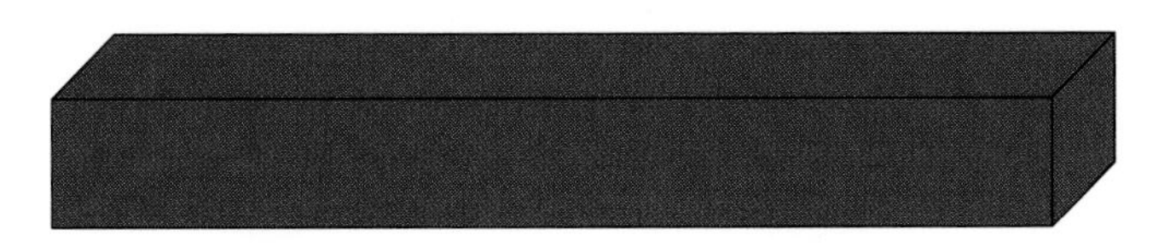

A $\frac{1}{2}$ **B** $\frac{1}{4}$ **C** $\frac{2}{4}$ **D** $\frac{3}{4}$

2 Découpe une bande de carton ou de papier.
Représente deux fractions de ta bande.
Choisis-les parmi celles indiquées ci-dessous.

A $\frac{1}{2}$ **B** $\frac{1}{4}$ **C** $\frac{2}{4}$ **D** $\frac{3}{4}$

3 Compare les longueurs obtenues au numéro 2 avec celles d'autres élèves.
Que remarques-tu ?

Leçon 108

Adam veut représenter la multiplication 4 × 7 à l'aide de cartes. Quelles cartes doit-il choisir pour représenter cette multiplication ?

Quelle addition peut-il effectuer pour trouver le résultat de cette multiplication ?

Quelle est l'opération contraire de cette multiplication ?

1

A Écris 20 multiplications dont les nombres sont plus petits que 10.

B Représente ces multiplications à l'aide de cartes.

C Écris l'addition que tu peux effectuer pour trouver le résultat de chacune de ces multiplications.

2 Compare les multiplications que tu as écrites au numéro 1 avec celles d'autres élèves.
Indique les multiplications qui ont le même résultat et celles qui sont différentes.

1 Découpe sur la feuille quadrillée qu'on te remettra une représentation visuelle pour chacune des multiplications suivantes.

2 Combien de cases obtiens-tu en tout sur chacune des représentations du numéro 1 ?

3 Utilise les représentations du numéro 1 et des ciseaux pour répondre à chacune des questions suivantes.

A Combien de fois 4 est-il contenu dans 24 ?

B Combien de fois 3 est-il contenu dans 24 ?

C Combien de fois 6 est-il contenu dans 24 ?

D Combien de fois 8 est-il contenu dans 24 ?

Leçon 109

Les jumeaux Odile et Harry iront passer 10 jours dans un centre de plein air cet été.
Il y a 8 petits chalets consacrés aux familles sur cette base de plein air.
Chaque chalet peut héberger 2 adultes et 2 enfants.
Combien d'enfants ces chalets peuvent-ils héberger en tout ?
Combien d'adultes ces chalets peuvent-ils héberger en tout ?
Combien de personnes ces chalets peuvent-ils héberger en tout ?

 Résous les situations suivantes.

 Laisse les traces de tes démarches.

Le grand chalet de la base de plein air peut héberger 50 personnes.
Il y a 36 personnes qui ont réservé une place dans ce chalet au mois de juillet.
Il y a 24 personnes qui ont réservé une place dans ce chalet au mois d'août.
Combien de places sont encore disponibles dans ce chalet pour chacun de ces mois ?

La base de plein air met 12 canots et 24 ceintures de sauvetage à la disposition de leurs clients.
Chaque personne doit porter une ceinture de sauvetage lorsqu'elle fait du canot.
Il reste 2 canots et 8 ceintures de sauvetage.
Combien de personnes font du canot ?

Il y a 2 chattes qui habitent un bâtiment de la base de plein air.
Elles ont eu chacune 4 chatons.
Combien de chats y a-t-il en tout dans ce bâtiment ?

1 Fais un dessin qui représente la situation ci-dessous.

Il y a 12 embarcations sur un lac.
Ce sont des planches à voile et des canots.
Il y a 2 fois plus de planches à voile que de canots.

2 Imagine une situation semblable à celle du numéro 1.
Invite un ou une élève à résoudre ta situation.

Leçon 110

Quelles fractions des fenêtres à gauche et à droite sont cachées par un store ?
Quelle fraction de la fenêtre au centre est cachée par un store ?
Trouve 2 réponses différentes.

Dans quelle situation de la vie quotidienne utilises-tu des fractions ?

1

A Trace 6 figures planes identiques ayant 4 côtés sur la feuille qu'on te remettra.
Utilise une règle.

B Partage chaque figure en 4 parties équivalentes.
Utilise au moins 2 façons différentes de partager ces figures.

2 Représente les fractions indiquées ci-dessous sur les figures que tu as tracées au numéro 1.
Chaque figure doit représenter une fraction.
Colorie la ou les parties qui conviennent et écris la fraction représentée.

A $\frac{1}{2}$ **B** $\frac{2}{2}$ **C** $\frac{1}{4}$

D $\frac{2}{4}$ **E** $\frac{3}{4}$ **F** $\frac{4}{4}$

3 Compare les représentations du numéro 2 avec celles d'autres élèves.
Discute de la façon dont tu procéderais pour placer ces fractions en ordre.

I Le jeu de cache-cache

Nombre d'élèves : 3 ou 4

Matériel : des cartes, des jetons et un morceau de papier

Un ou une élève du groupe joue le rôle d'arbitre.
Les élèves découpent les cartes sur la feuille qu'on leur remettra.
L'arbitre place les cartes en pile, face cachée.
Lorsque c'est ton tour :

- prends la carte sur le dessus de la pile et lis son contenu à voix haute ;
- fais la consigne indiquée sur la carte à l'aide d'un morceau de papier.

L'arbitre vérifie le résultat et ramasse la carte.
S'il est correct, l'arbitre remet un jeton à l'élève.
Le jeu se termine lorsque la pile de cartes est épuisée.
L'élève qui a le plus de jetons gagne la partie.

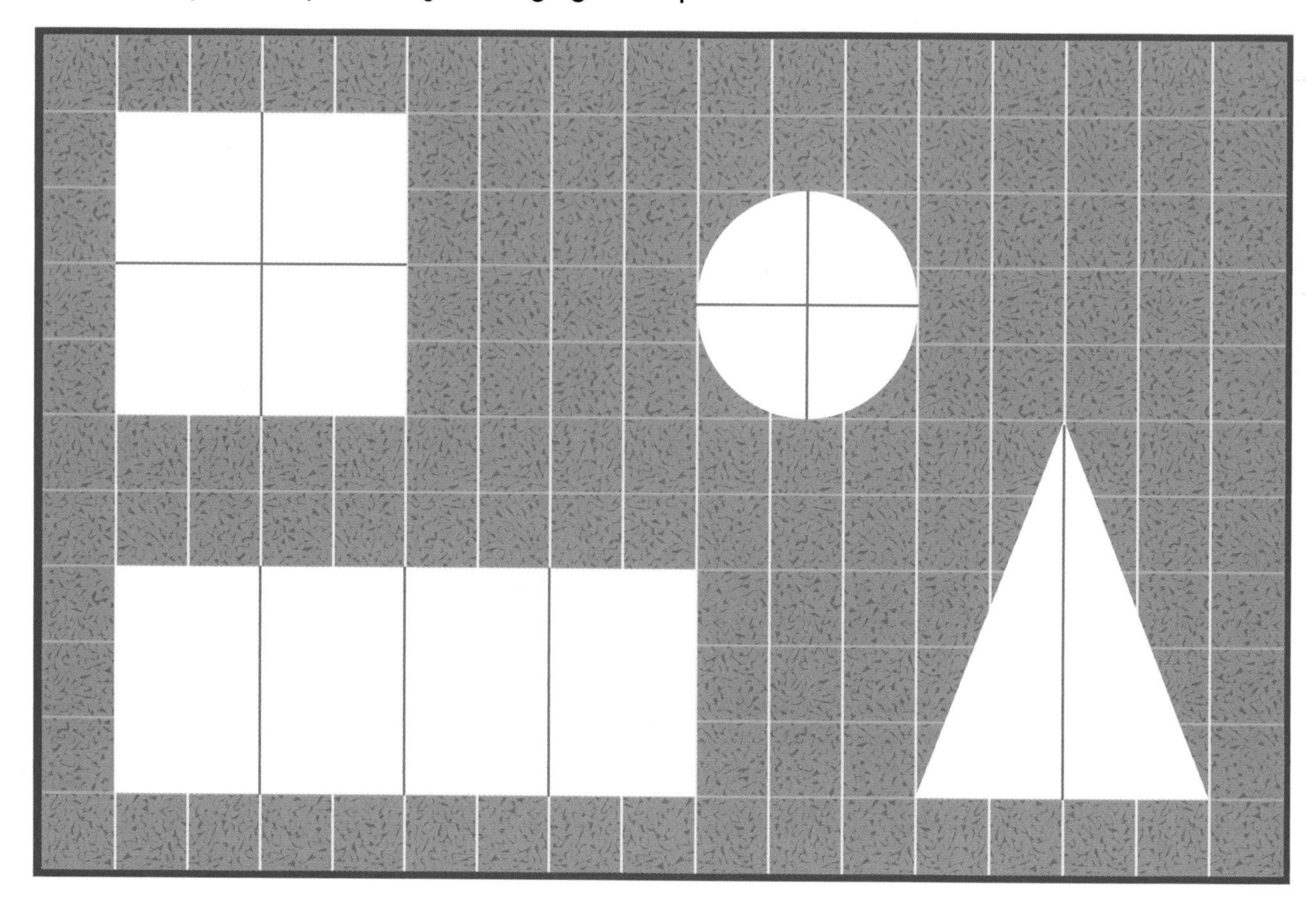

Élodie fait un sondage sur les activités proposées aux élèves de son école pendant les récréations.
D'après toi, quelle question Élodie pose-t-elle aux élèves ?

Combien d'élèves devrait-elle consulter ?

Comment peut-elle procéder pour indiquer les résultats de son sondage ?

1. Fais un sondage auprès des élèves de ton école.
   - Détermine le sujet de ton sondage.
   - Indique la question que tu poseras et le nombre de personnes que tu désires consulter.
   - Construis un tableau pour recueillir les réponses.
   - Représente les résultats de ton sondage à l'aide d'un diagramme à bandes ou d'un pictogramme.

2. Présente les résultats du sondage réalisé au numéro 1 aux élèves de ta classe.

1 Le diagramme à bandes ci-dessous représente les résultats d'un sondage sur l'instrument de musique le plus populaire auprès d'élèves de 7 et 8 ans.
Reporte les résultats de ce sondage sur un pictogramme.
Utilise la feuille qu'on te remettra.

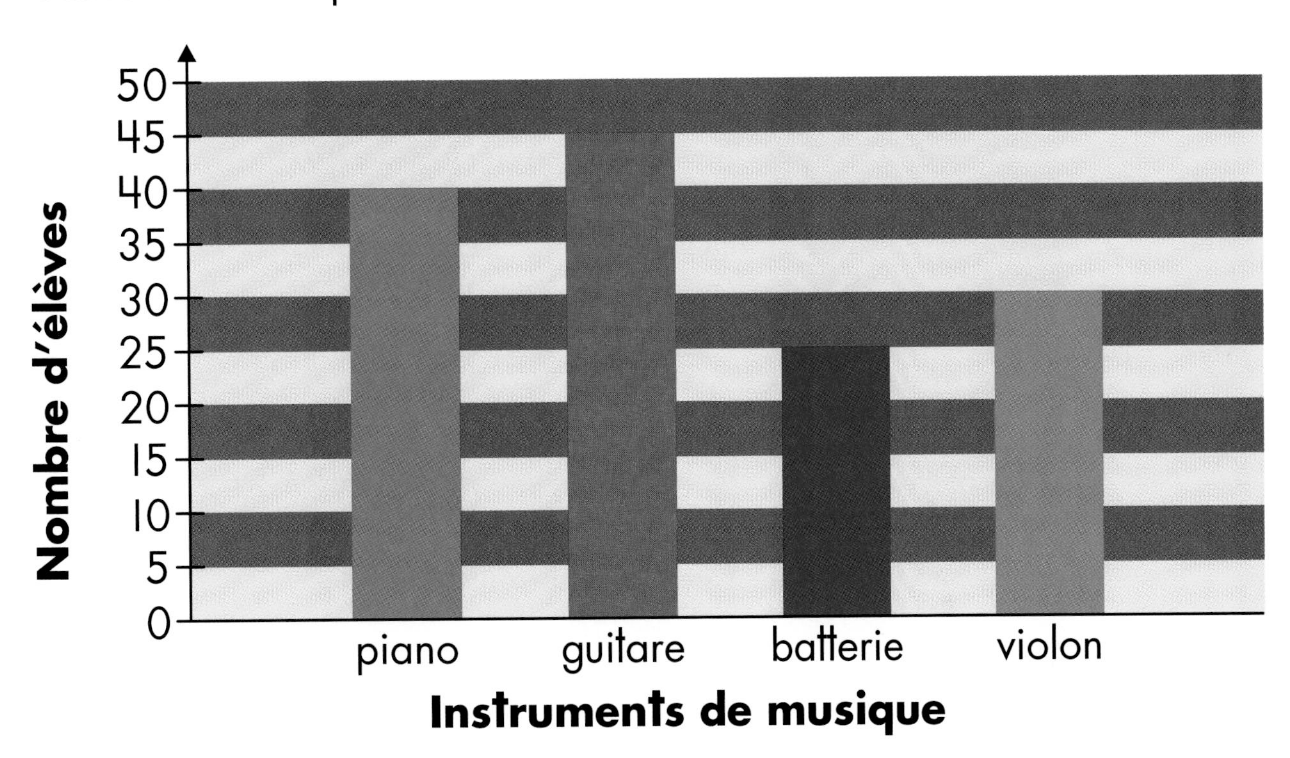

2 Présente le pictogramme réalisé au numéro 1.

A Explique la légende que tu as utilisée.

B Indique le nombre d'élèves qui ont choisi chacun de ces instruments.

C Indique l'instrument de musique le plus populaire.

D Indique l'instrument de musique le moins populaire.

Leçon 112

Marc-André a fabriqué un instrument de mesure pour mesurer la taille de différentes personnes.
Quelle unité de mesure a-t-il représentée sur chacune des bandes ?

D'après toi, comment a-t-il procédé pour fabriquer son instrument de mesure ?
Quels matériels a-t-il utilisés pour faire cet instrument ?

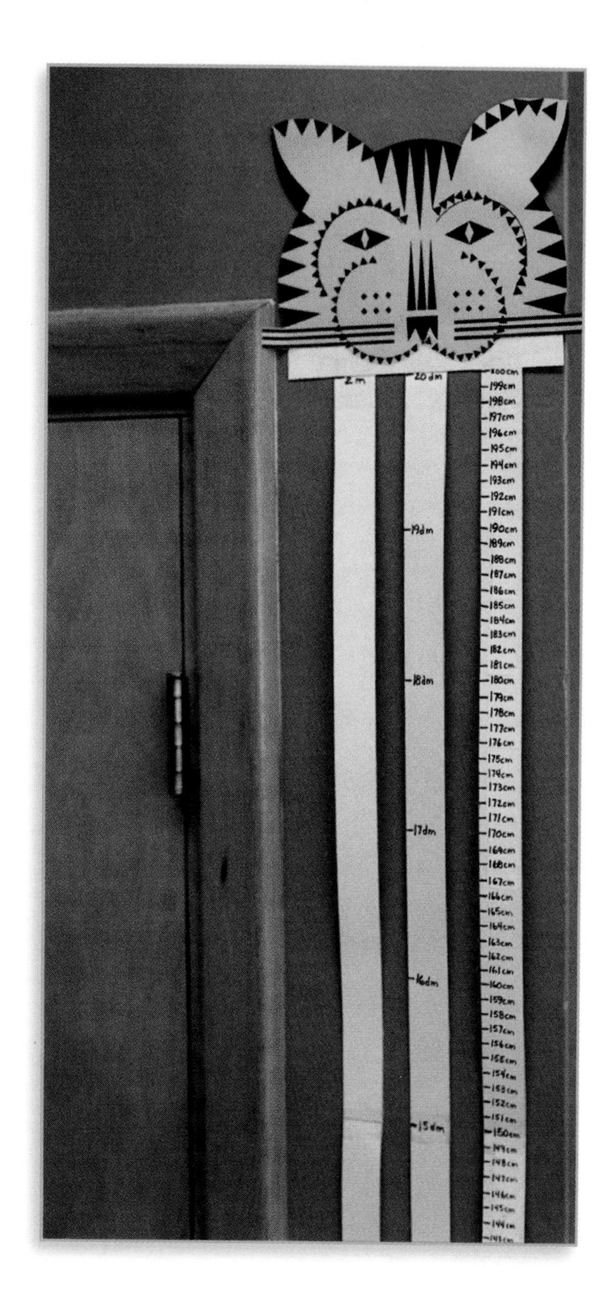

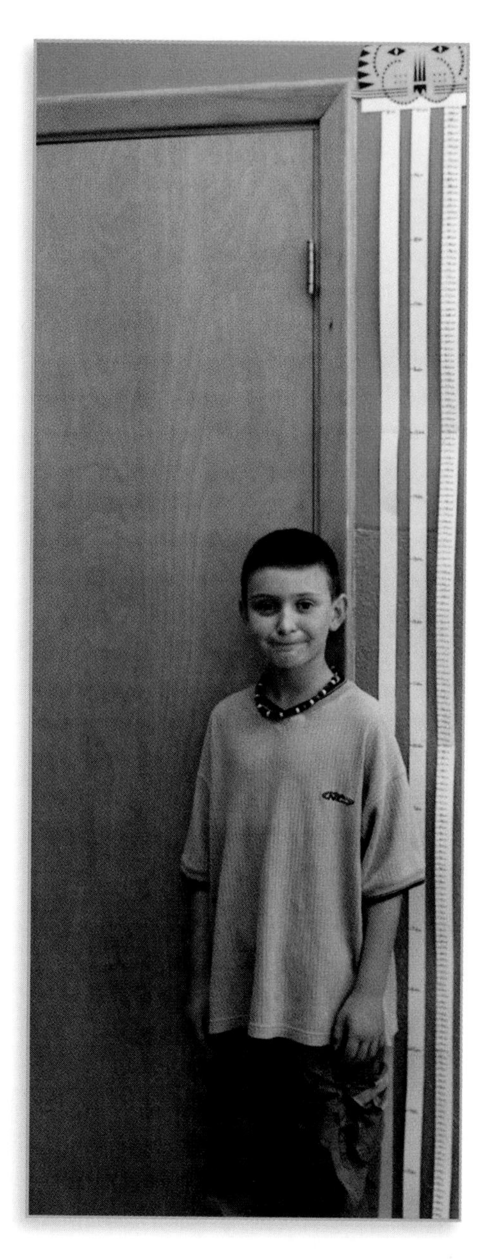

1 Fabrique un instrument de mesure semblable à celui de Marc-André avec d'autres élèves.
Cet instrument doit permettre de mesurer en mètres, en décimètres et en centimètres.
Utilise le matériel de ton choix et les feuilles qu'on te remettra.

2 Installe l'instrument de mesure que tu as fabriqué au numéro 1.
Mesure et compare la taille de différentes personnes.
Quels résultats de mesure utilises-tu ?

1 Trace les segments indiqués ci-dessous.
Utilise l'instrument de mesure de ton choix.

A Trace un segment AB qui mesure 14 cm de longueur.

B Trace un segment OP qui mesure 2 dm de longueur.

C Trace un segment ST qui mesure 20 cm de longueur.

D Trace un segment XY qui mesure 1 dm de longueur.

2 Compare les segments que tu as tracés au numéro 1.

A Indique le segment le moins long.

B Indique les segments qui ont la même longueur.

3 Myriam situe 3 maisons sur un plan.
Représente ces maisons à l'aide de 3 segments et des informations suivantes.

- **Il y a 5 cm de la maison rouge à la maison bleue.**
- **Il y a 8 cm de la maison rouge à la maison verte.**
- **Il y a 13 cm de la maison verte à la maison bleue.**

Les jeux de Rondo

Le jeu des fourmis

Nombre d'élèves : 2 | Matériel : 2 pions, un dé et des cartes

Les élèves découpent les cartes sur les feuilles qu'on leur remettra et forment 2 piles, face cachée.
Chaque élève utilise une pile de cartes et place son pion sur la case **Départ**.
Lorsque c'est ton tour :

- jette le dé et avance ton pion sur les cases ;
- lorsque ton pion se trouve sur une fourmi rouge, retourne la carte sur le dessus de ta pile et demande à ton adversaire de faire la même chose ;
- l'élève qui a le plus grand résultat de mesure remporte les 2 cartes.

Le jeu se termine lorsqu'un ou une élève atteint la case **Arrivée**.
L'élève qui a le plus de cartes gagne la partie.

Écris tes réponses sur une feuille ou sur l'ardoise.
Utilise du matériel si tu en as besoin.

Partage également les jetons illustrés ci-dessous entre 2 personnes.
Combien de jetons chaque personne recevra-t-elle ?

Quelle fraction de la bande illustrée ci-dessous est coloriée ?

Quelle multiplication l'ensemble de cartes illustré ci-contre peut-il représenter ?

Résous la situation suivante.
Laisse les traces de ta démarche.

Trois personnes promènent leurs chiens en laisse dans le parc.
Chaque personne promène 2 chiens.
Combien de chiens ces personnes promènent-elles en tout ?

Quelle figure plane représente la fraction $\frac{3}{4}$?
Écris la lettre qui correspond à ton choix.

a) 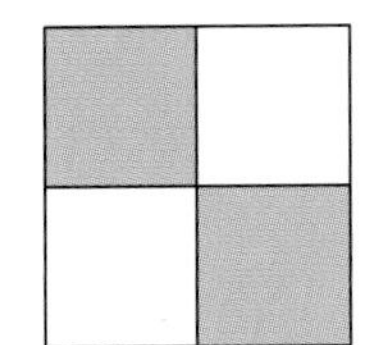

b) 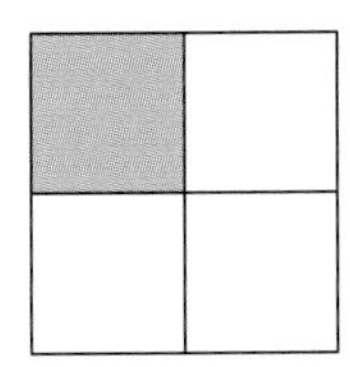

c) 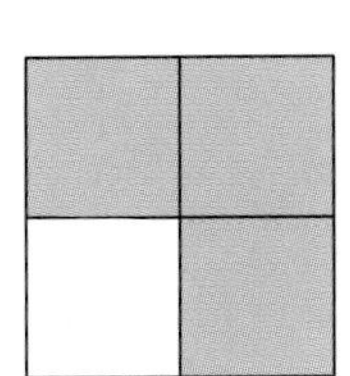

d) 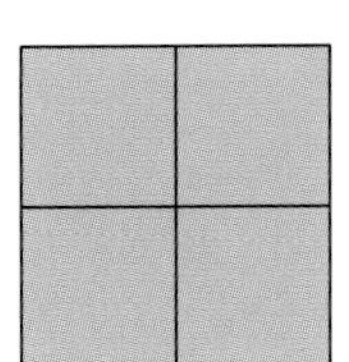

Des enfants de 7 ans ont indiqué dans un sondage le légume ou le fruit qu'ils préféraient.
Ce sondage indique que ces enfants n'aiment pas le brocoli.
Lequel des diagrammes à bandes ci-dessous permet de faire cette conclusion ?
Écris la lettre qui correspond à ton choix.

a) 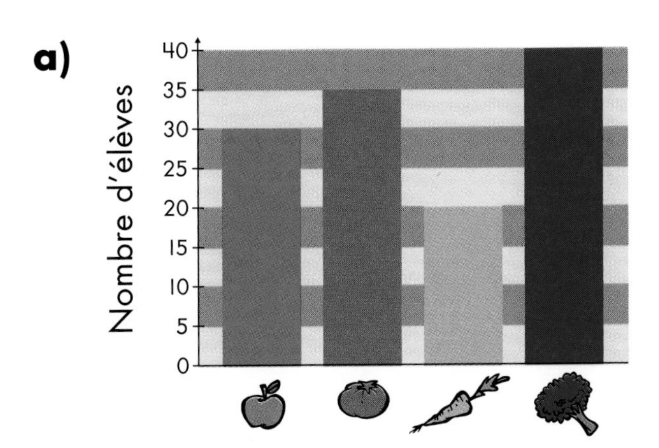

b) 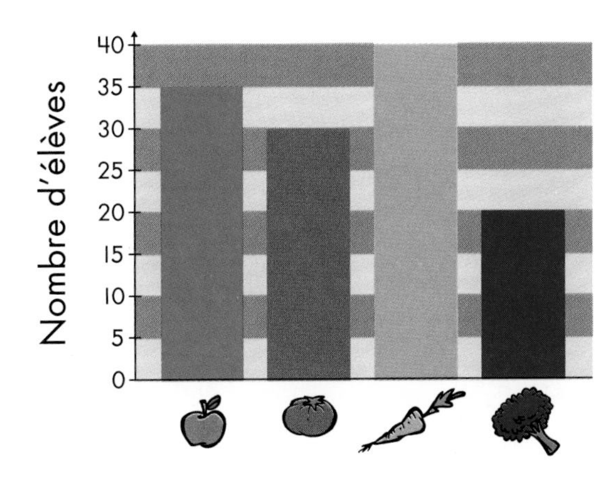

Quel résultat de mesure est le moins long ?
Écris la lettre qui correspond à ton choix.

a) 9 cm

b) 2 m

c) 1 dm

La caverne de la calculatrice

Nombre d'élèves : 2 | Matériel : une calculatrice

- Trouve les résultats des multiplications en effectuant des additions.
- Trouve les résultats des divisions en effectuant des soustractions.
- Indique la séquence de touches sur lesquelles tu as appuyé pour trouver chaque résultat.

1. 4 × 8
2. 7 × 6
3. 9 × 8
4. 30 ÷ 6
5. 63 ÷ 7
6. 54 ÷ 9

La caverne de l'ordinateur

Réalise les activités ci-dessous à l'aide d'un ordinateur.

- Trouve un code qui sert à représenter le nombre 786 à l'aide de 3 dessins différents.
- Indique la valeur de chaque dessin et représente ce nombre.
- Fais découvrir à d'autres élèves le nombre que tu as représenté.

---

2 Représente à l'aide d'un dessin la division 28 ÷ 4.

- Réalise une affiche qui sert à représenter différentes fractions.
- Utilise une figure plane pour représenter ces fractions.
- Colorie la ou les parties de cette figure qui conviennent.

Des tours de magie mathématique !

1 Découvre un tour de magie mathématique et présente-le aux élèves de ta classe.
Fais ta recherche auprès de personnes, dans un livre ou en te servant de l'ordinateur.
Tu peux utiliser des dés, un jeu de cartes ou d'autres matériels.
Voici un exemple :

Écris un nombre plus petit que 100 à l'aide de 2 chiffres différents qui ne se suivent pas.

Écris un autre nombre en changeant de place le chiffre à la position des unités avec celui à la position des dizaines.

Soustrais ces 2 nombres.

Utilise ta réponse et forme un autre nombre en changeant de place le chiffre à la position des unités avec celui à la position des dizaines. Additionne ces 2 nombres.

Voici ta réponse.
99

La mine Allegro

La mine Allegro est située sous la ville de *Concerto*.
Tu dois résoudre 5 énigmes.
Elles te permettront d'obtenir un rubis, un diamant, un saphir, une émeraude et une topaze.

Laisse les traces de tes démarches.
Écris tes réponses sur une feuille ou sur l'ardoise.
Utilise du matériel si tu en as besoin.

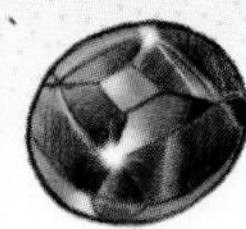

Tu dois porter un chapeau de sécurité pour te rendre au fond de la mine.
Ces chapeaux sont dans une armoire fermée par un cadenas.
La combinaison du cadenas est formée de 2 nombres entre 400 et 600.
Ces nombres possèdent un chiffre impair à la position des unités et à la position des centaines.
Le chiffre à la position des dizaines est 2 fois plus grand que le chiffre à la position des unités.

Quelle est la combinaison de ce cadenas ?

Tu as aussi besoin d'une lampe de poche pour te rendre au fond de la mine.
La lampe de poche qui fonctionne le mieux est celle qui indique la plus grande somme.

De quelle couleur est cette lampe de poche ?

Ces quatre wagons te mènent à différents endroits dans la mine.
Un seul wagon mène à la sortie de la mine.
Il porte le numéro qui correspond à la réponse de la situation ci-dessous.

Quel numéro porte ce wagon ?

Il y a 64 biscuits dans 2 boîtes.
L'une de ces boîtes contient 29 biscuits.
Combien de biscuits y a-t-il dans l'autre boîte ?

Il y a 3 petits coffres au fond de la mine.
Un seul de ces coffres contient de véritables pierres précieuses.
Les autres coffres contiennent des fausses pierres.
L'un de ces coffres porte l'illustration d'un solide formé de 4 triangles et d'un carré.
L'autre porte l'illustration d'un solide ayant 6 faces et 12 sommets.

De quelle couleur est le coffre qui contient les véritables pierres précieuses ?

Il y a 3 ascenseurs au fond de la mine.
Trouve la différence, en centimètres, entre la hauteur et la largeur de chaque porte d'ascenseur illustrée ci-dessus.
L'ascenseur qui permet de remonter à la surface a la plus grande différence.

De quelle couleur est la porte de cet ascenseur ?

Leçon 85	Nombres naturels de 0 à 500 : lecture, écriture, chiffre, nombre, ordre, comparaison, propriétés, représentation
Leçon 86	Système de numération : représentation, décomposition, structure, régularités Statistique : interprétation et représentation d'un pictogramme Longueur : estimation
Leçon 87	Addition et soustraction : sens, estimation, procédures de calcul mental [résultat et premier terme inférieurs ou égaux à 18] procédures de calcul écrit [résultat et premier terme inférieurs ou égaux à 70 (sans retenue ni emprunt)]
Leçon 88	Solides : comparaison, caractéristiques, construction, classification
Leçon 89	Situations d'addition et de soustraction : traces de la démarche, choix d'opérations, deux étapes de solution [résultat et premier terme inférieurs ou égaux à 70]
Leçon 90	Sens spatial : repérage sur un axe, points cardinaux, représentation et comparaison de trajets
Leçon 91	Longueur : estimation, comparaison, procédures, mesurage à l'aide d'unités conventionnelles (cm)
Leçon 92	Addition : sens, représentation, procédures de calcul écrit [résultat inférieur ou égal à 50 (retenue)]
Leçon 93	Figures planes : identification, description, comparaison, construction Longueur : dimension d'une figure (longueur, largeur) Fractions : sens
Leçon 94	Soustraction : sens, représentation, procédures de calcul écrit [premier terme inférieur ou égal à 50 (emprunt)]
Leçon 95	Mesures de temps : heure, semaine, moments de la journée Solides : construction
Leçon 96	Phénomènes aléatoires simples : dénombrement de résultats possibles (grilles, tableau, diagramme) Addition : calculs [résultat inférieur ou égal à 12] Nombres naturels : propriétés
Leçon 97	Longueur : mesurage à l'aide d'unités conventionnelles (cm), estimation, comparaison Addition : calculs [résultat inférieur ou égal à 12]
Leçon 98	Situations d'addition et de soustraction : traces de la démarche, choix d'opérations, une ou deux étapes de solution, données superflues [résultat et premier terme inférieurs ou égaux à 70] Statistique : interprétation d'un tableau de données

Leçon 99	Nombres naturels de 0 à 1000 : lecture, écriture, ordre, estimation Système de numération : structure, régularités, propriétés
Leçon 100	Addition et soustraction : sens, représentation, terme manquant, procédures de calcul écrit, [résultat et premier terme inférieurs ou égaux à 100 (retenue et emprunt)] Probabilités : combinaisons
Leçon 101	Figures planes : identification, description, comparaison, construction Longueur : dimension d'une figure (longueur, largeur)
Leçon 102	Solides : caractéristiques, comparaison
Leçon 103	Multiplication : sens, représentation (addition répétée, droite numérique, produit cartésien, etc.)
Leçon 104	Situations d'addition et de soustraction : traces de la démarche, choix d'opérations, une ou deux étapes de solution, données superflues [résultat et premier terme inférieurs ou égaux à 100]
Leçon 105	Mesures de temps : saisons, mois, semaine, moments de la journée, heure, calendrier, expressions courantes
Leçon 106	Division : sens, représentation (soustraction répétée, partage, contenance)
Leçon 107	Fractions : sens, lecture, écriture, représentation, parties équivalentes, demi, quart
Leçon 108	Multiplication : sens, représentation, comparaison, liens avec la division
Leçon 109	Situations d'addition et de soustraction : traces de la démarche, choix d'opérations, une ou deux étapes de solution, données superflues [résultat et premier terme inférieurs ou égaux à 100]
Leçon 110	Fractions : lecture, écriture, représentation, sens, parties équivalentes, demi, quart Figures planes : construction
Leçon 111	Statistique : enquête (collecte, organisation, représentation des données à l'aide d'un diagramme à bandes ou d'un pictogramme), interprétation d'un diagramme à bandes et représentation des données dans un pictogramme
Leçon 112	Longueur : mesurage à l'aide d'unités conventionnelles (m, dm, cm), comparaison

Coffres au trésor

1re étape

Leçon 58, page 20

On peut utiliser des ensembles ou une machine à fonction pour représenter visuellement une situation.
Le ? indique ce que l'on cherche.

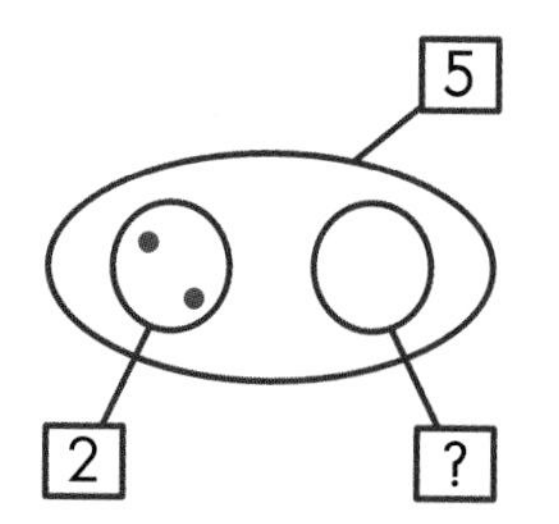

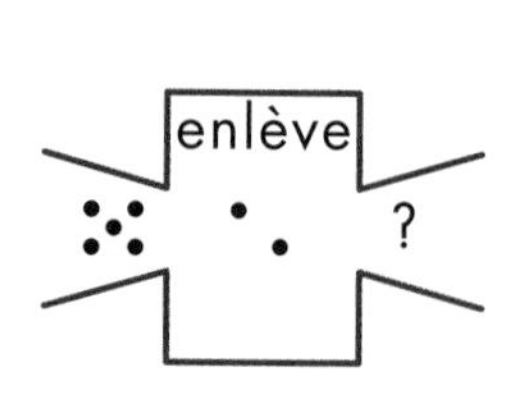

Leçon 59, page 23

On peut utiliser différents termes pour situer des objets ou des personnes dans l'espace.

à gauche, à droite, entre, au milieu de, au-dessus, au-dessous, sur, sous, en haut de, en bas de, devant, en avant, derrière, en arrière, en face de, face à face, à côté de, autour de, près de, loin de, ici, là, en dedans, en dehors

Leçon 60, page 26

On peut utiliser différents moyens pour calculer mentalement une addition.

Leçon 61, page 29

On peut utiliser différents moyens pour calculer mentalement une soustraction.

Coffres au trésor

• Leçon 64, page 41

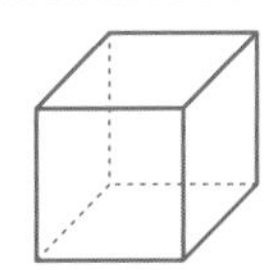

Le cube possède 6 faces carrées.

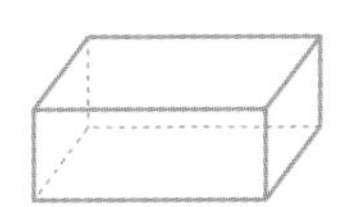

Ce prisme possède 6 faces rectangulaires.

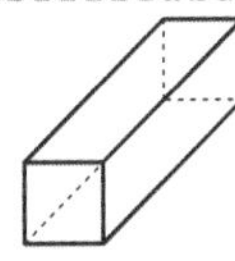

Ce prisme possède 4 faces rectangulaires et 2 faces carrées.

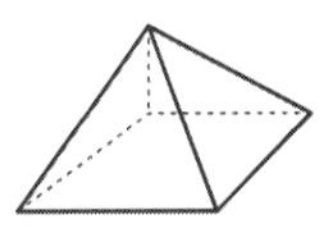

Cette pyramide possède 4 faces triangulaires et 1 face carrée.

• Leçon 65, page 44

Je récite les nombres de 1 à 300 en ordre croissant.

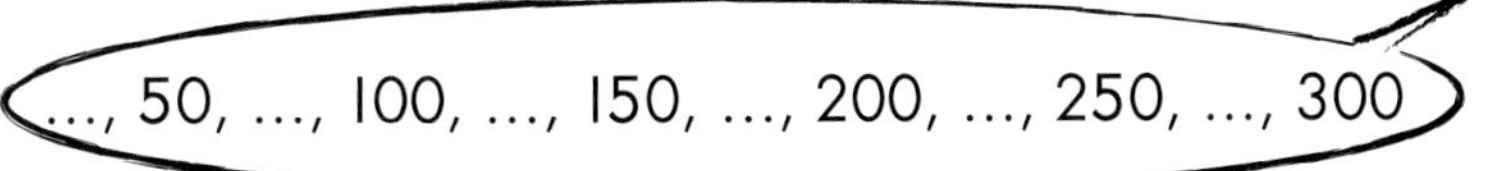

Je récite les nombres de 1 à 300 en ordre décroissant.

300, ..., 250, ..., 200, ..., 150, ..., 100, ..., 50, ...

• Leçon 66, page 47

Il faut placer correctement les nombres lorsque l'on fait une addition par écrit.

	Dizaine	Unité
	2	4
+	1	5
	3	9

24 + 15 = 39

Le résultat d'une addition s'appelle « somme ».

Coffres au trésor

1re étape (suite)

• Leçon 67, page 50

Lorsqu'on trace une ou des lignes fermées, on obtient une ou des régions intérieures.

Lorsqu'on trace une ou des lignes ouvertes, on n'obtient ni région intérieure ni région extérieure.

Voici des lignes brisées.

Voici des lignes courbes.

• Leçon 68, page 53

Le symbole de mètre est « m ».

Le symbole de décimètre est « dm ».

• Leçon 69, page 56

Le résultat d'une soustraction s'appelle « différence ».

La différence entre 8 et 5 est 3 parce que $8 - 5 = 3$.

Coffres au trésor

2e étape

• Leçon 71, page 71

• Leçon 72, page 74

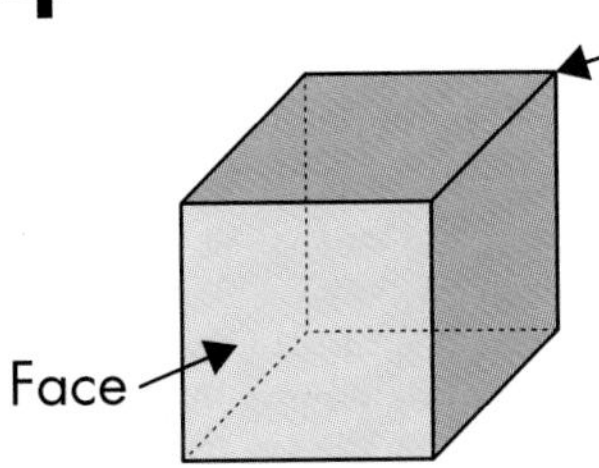

• Leçon 73, page 77

La soustraction est l'opération contraire de l'addition.

Je sais que $8 + 7 = 15$.
Donc,
$15 - 8 = 7$
et $15 - 7 = 8$.

Je sais que $12 - 4 = 8$.
Donc,
$4 + 8 = 12$
et $8 + 4 = 12$.

• Leçon 76, page 86

Je sais lire l'heure sur différents cadrans selon les moments de la journée.

Coffres au trésor 2e étape (suite)

• Leçon 77, page 89

Un carré a plus de côtés qu'un triangle.
Un rectangle a plus de côtés qu'un triangle.
Un carré a le même nombre de côtés qu'un rectangle.

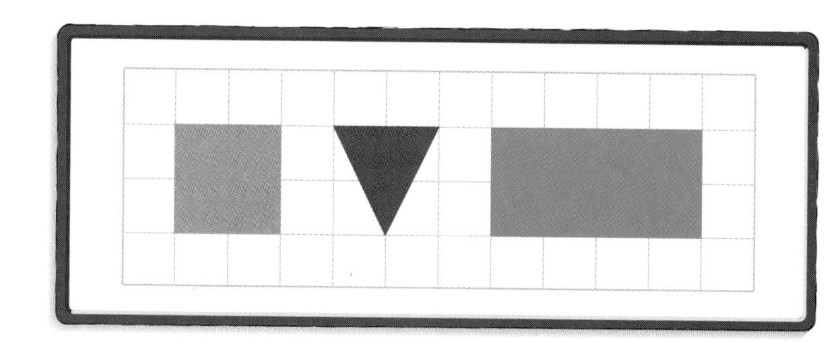

• Leçon 78, page 95

Voici des nombres pairs :
2, 4, 6, 8, 10.

Voici des nombres impairs :
1, 3, 5, 7, 9.

• Leçon 79, page 98

Je peux obtenir les nombres de 11 à 20 en utilisant le nombre 10.

10 + 1 = 11
10 + 2 = 12
10 + 3 = 13
10 + 4 = 14
10 + 5 = 15
...

Je sais calculer mentalement la somme de plusieurs nombres.

(6 + 4) + 5 = 15, avec 6 + 4 = 10
(3 + 4) + (5 + 2) = 14, avec 3 + 4 = 7 et 5 + 2 = 7

• Leçon 80, page 101

Il y a 10 dm dans 1 m.
Il y a 20 dm dans 2 m.

10 dm égalent 1 m.

20 dm égalent 2 m.

Coffres au trésor

3e étape

Leçon 86, page 12

Je peux représenter et décomposer le nombre 314 de différentes façons.

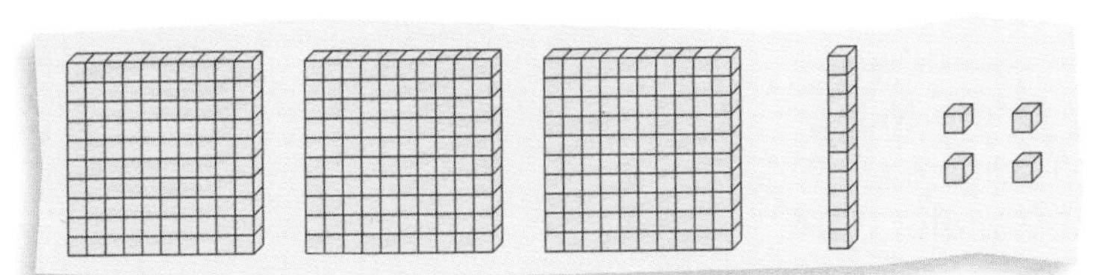

3 centaines,
1 dizaine et 4 unités

100 + 100 + 100 + 10 + 1 + 1 + 1 + 1

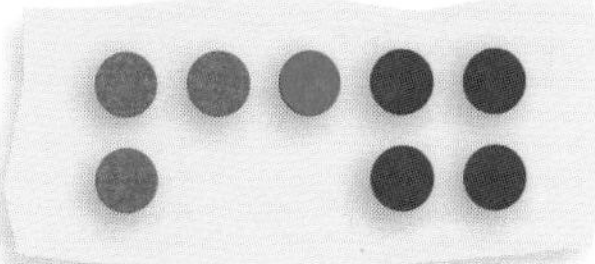

Etc.

Leçon 87, page 15

+	0	1	2	3	4	5	6	7	8	9	10
0	0	1	2	3	4	5	6	7	8	9	10
1	1	2	3	4	5	6	7	8	9	10	11
2	2	3	4	5	6	7	8	9	10	11	12
3	3	4	5	6	7	8	9	10	11	12	13
4	4	5	6	7	8	9	10	11	12	13	14
5	5	6	7	8	9	10	11	12	13	14	15
6	6	7	8	9	10	11	12	13	14	15	16
7	7	8	9	10	11	12	13	14	15	16	17
8	8	9	10	11	12	13	14	15	16	17	18
9	9	10	11	12	13	14	15	16	17	18	19
10	10	11	12	13	14	15	16	17	18	19	20

Coffres au trésor

3e étape (suite)

Leçon 88, page 18

Je peux décrire un solide en indiquant la forme de ses faces et le nombre de faces, de sommets et d'arêtes qu'il possède.

Ce solide a des faces en forme de triangles et de rectangles. Il possède 5 faces, 6 sommets et 9 arêtes.

Leçon 90, page 24

Je peux représenter un trajet sur un quadrillage à l'aide des points cardinaux et de flèches ou de quantités.

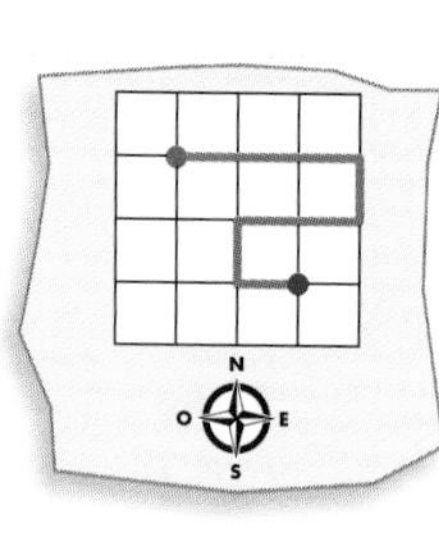

Chaque flèche ou chaque quantité correspond à l'un des côtés d'une case du quadrillage.
Le trajet du ● au ● peut être représenté de la façon suivante :
Ouest →, Nord →, Est →→, Nord →, Ouest →→→,
ou
Ouest 1, Nord 1, Est 2, Nord 1, Ouest 3.

Leçon 92, page 33

Il existe différentes techniques pour additionner par écrit des nombres. J'ai découvert la mienne et je l'utilise.

27 + 15 = 27 + 10 + 3 + 2
27 + 10 = 37
37 + 3 = 40
40 + 2 = 42

$$\begin{array}{rl} 27 & \\ +\ 15 & \\ \hline 12 & (7 + 5) \\ +\ 30 & (20 + 10) \\ \hline 42 & \end{array}$$

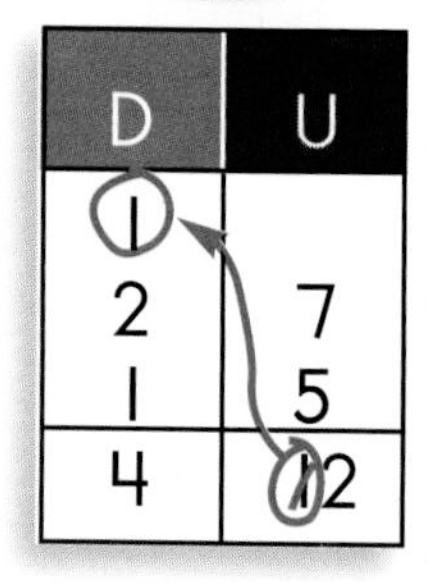

D	U
1	
2	7
1	5
4	12

Etc.

Coffres au trésor — 3e étape (suite)

• Leçon 93, page 36

Une figure plane est un losange lorsqu'elle a 4 côtés de même longueur.

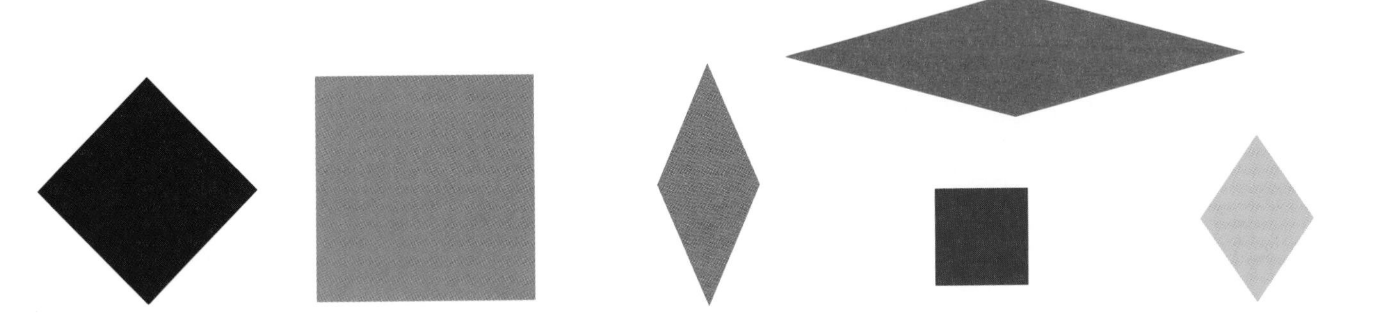

• Leçon 94, page 39

Il existe différentes techniques pour soustraire par écrit des nombres. J'ai découvert la mienne et je l'utilise.

$42 - 15 = ?$
$42 = 30 + 12$
$30 - 15 = 15$
$15 + 12 = 27$
$42 - 15 = 27$

$$
\begin{array}{rl}
 & 42 = 30 + 12 \\
- & 15 = 10 + 5 \\
\hline
 & 27 = 20 + 7
\end{array}
$$

	D	U
	3 ~~4~~	10 2
−	1	5
	2	7

Etc.

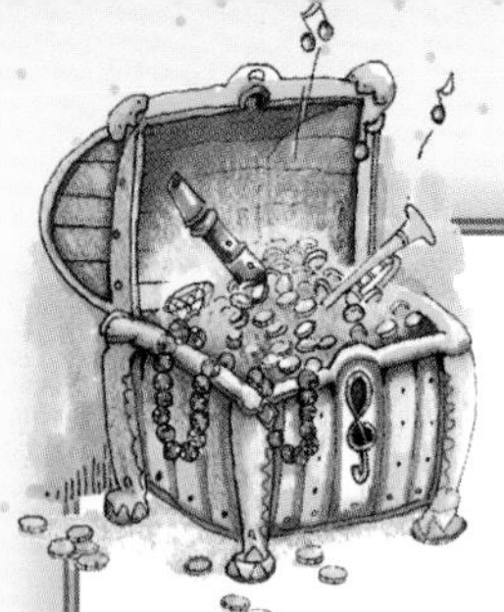

Coffres au trésor 3e étape (suite)

• Leçon 96, page 45

• Leçon 97, page 48

Le symbole de centimètre est « cm ».

Coffres au trésor

4e étape

• Leçon 99, page 63

On peut illustrer la suite des nombres naturels sur un axe de nombres.

• Leçon 103, page 75

Une multiplication est une addition répétée.
On peut la représenter à l'aide de matériels, de dessins et d'opérations.

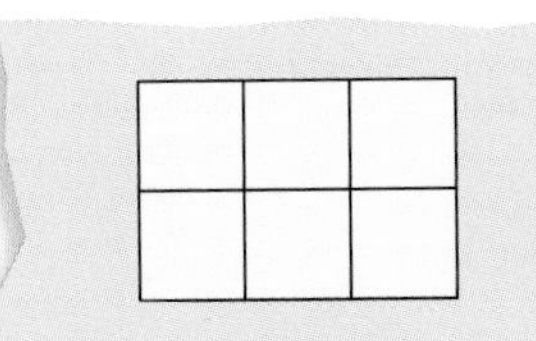

$2 + 2 + 2 = 6$

$3 \times 2 = 6$

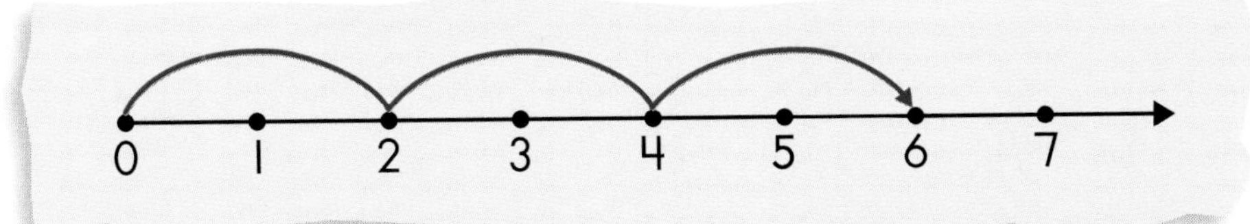

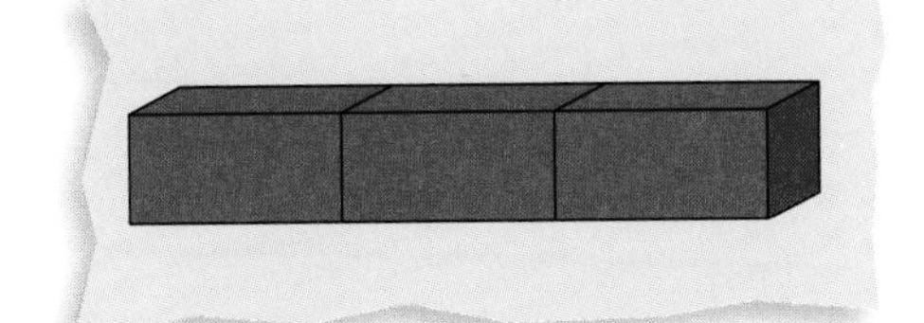

Etc.

Coffres au trésor 4ᵉ étape (suite)

• Leçon 106, page 87

La division est l'opération contraire de la multiplication.
Elle représente un partage ou le nombre de fois qu'une quantité est contenue dans une autre.

Combien de groupes de 2 sont contenus dans un groupe de 6 ?

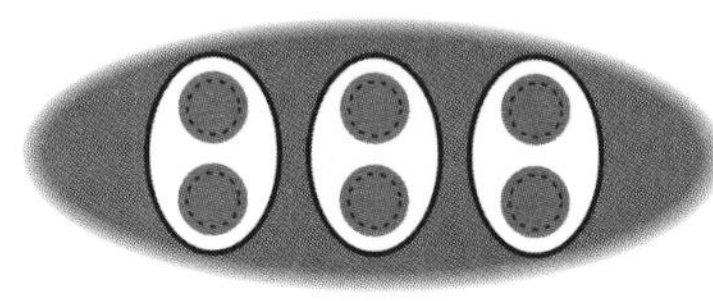

On veut partager également 6 jetons entre 3 personnes.
Combien de jetons chaque personne recevra-t-elle ?

$6 \div 2 = 3$

• Leçon 107, page 90

La fraction sert à noter certains nombres, par exemple un quart du cercle est colorié ci-dessous.

$\frac{1}{2}$ 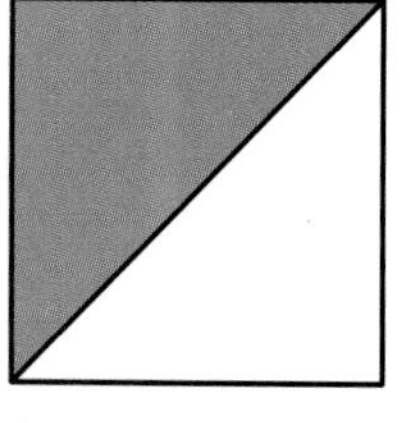 $\frac{1}{4}$ $\frac{2}{4}$ $\frac{3}{4}$

Vocabulaire

Nombres

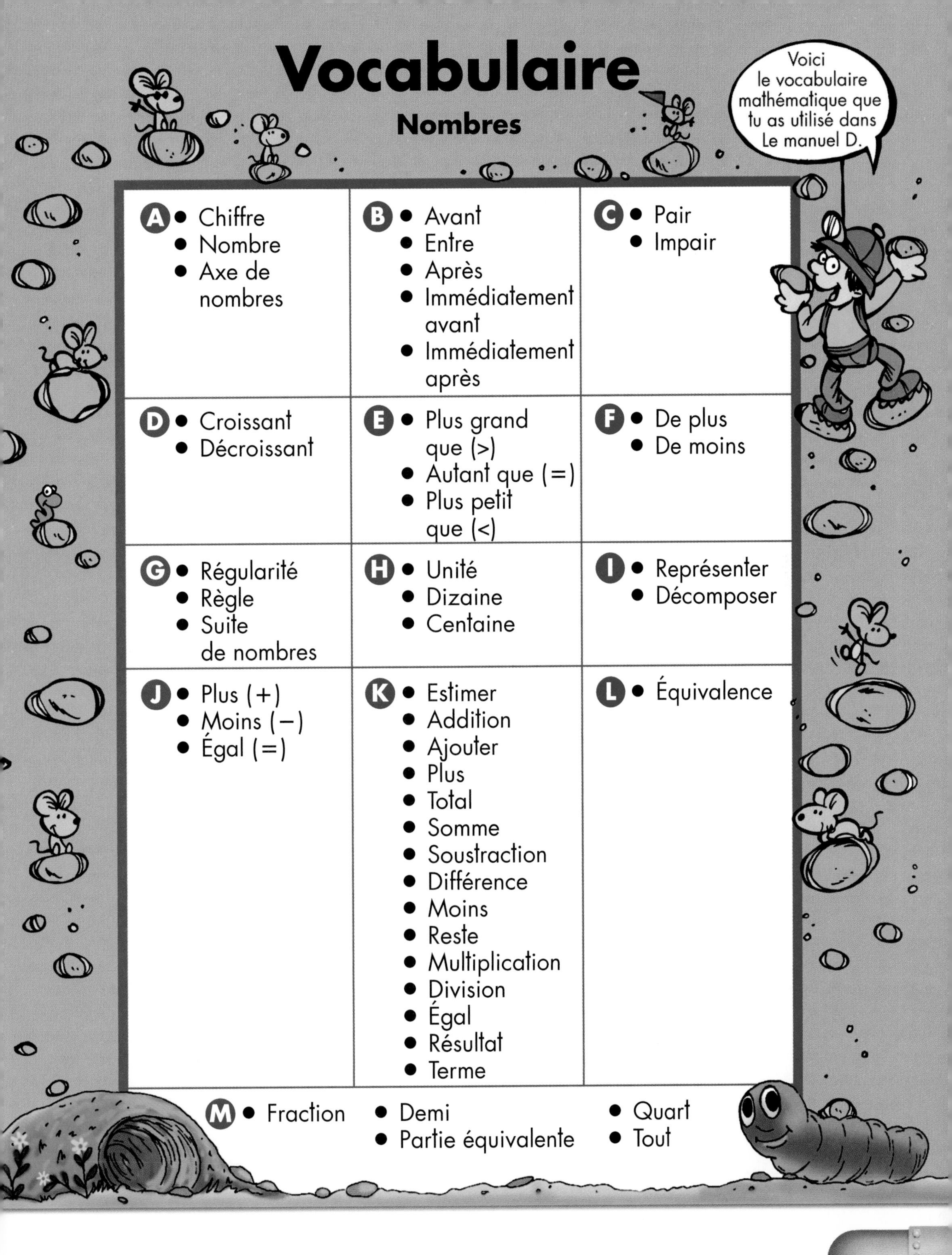

A • Chiffre • Nombre • Axe de nombres	**B** • Avant • Entre • Après • Immédiatement avant • Immédiatement après	**C** • Pair • Impair
D • Croissant • Décroissant	**E** • Plus grand que (>) • Autant que (=) • Plus petit que (<)	**F** • De plus • De moins
G • Régularité • Règle • Suite de nombres	**H** • Unité • Dizaine • Centaine	**I** • Représenter • Décomposer
J • Plus (+) • Moins (−) • Égal (=)	**K** • Estimer • Addition • Ajouter • Plus • Total • Somme • Soustraction • Différence • Moins • Reste • Multiplication • Division • Égal • Résultat • Terme	**L** • Équivalence

M • Fraction • Demi • Partie équivalente • Quart • Tout

Vocabulaire

Géométrie

A • À droite • À gauche • Ailleurs • Nord • Sud • Est • Ouest	**B** • Solide • Cube • Prisme • Pyramide • Face • Sommet • Arête
C • Figure plane • Carré • Rectangle • Triangle • Losange • Côté	**D** • Ligne • Segment

E • Région

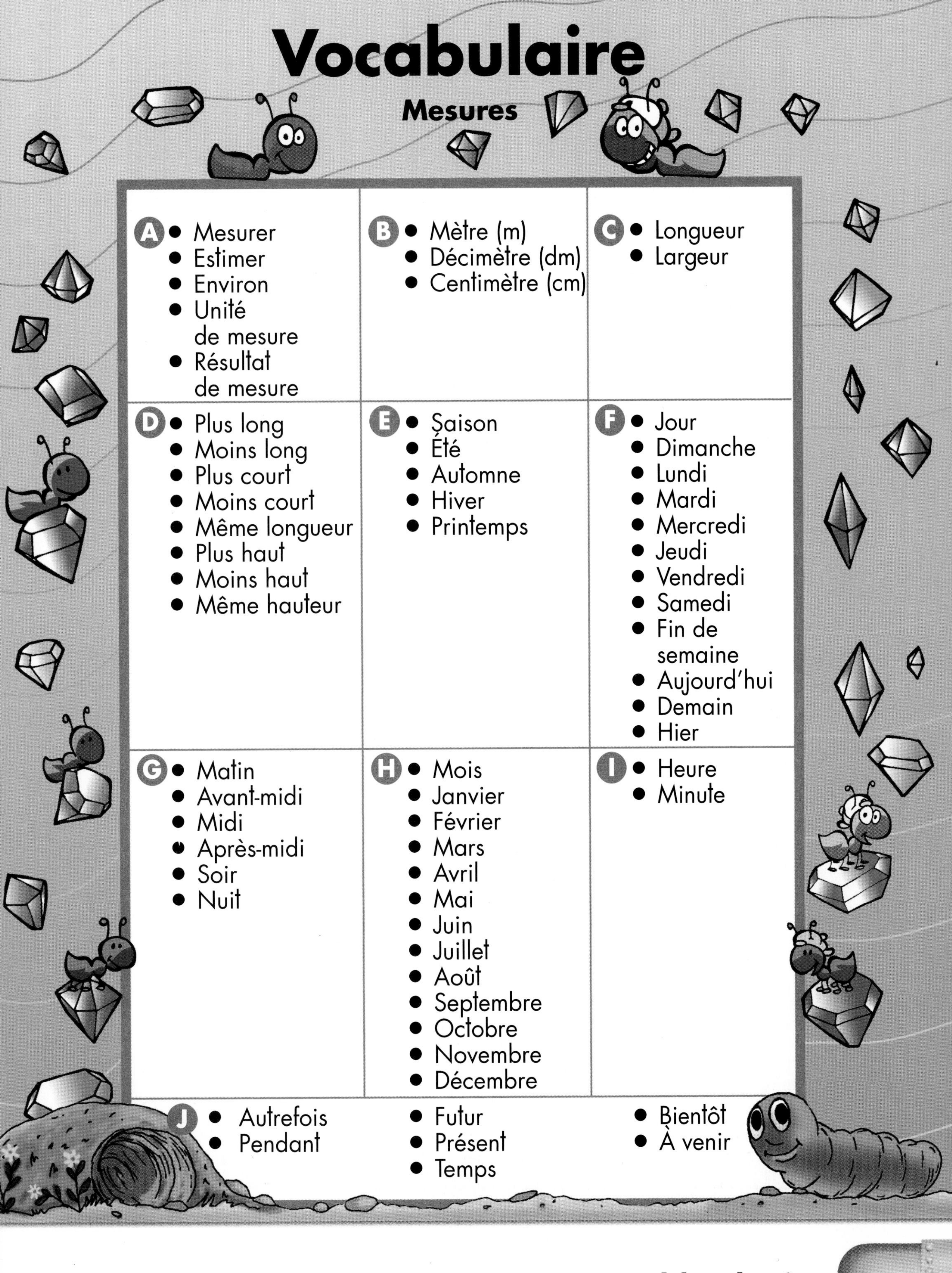

Vocabulaire

Mesures

A
- Mesurer
- Estimer
- Environ
- Unité de mesure
- Résultat de mesure

B
- Mètre (m)
- Décimètre (dm)
- Centimètre (cm)

C
- Longueur
- Largeur

D
- Plus long
- Moins long
- Plus court
- Moins court
- Même longueur
- Plus haut
- Moins haut
- Même hauteur

E
- Saison
- Été
- Automne
- Hiver
- Printemps

F
- Jour
- Dimanche
- Lundi
- Mardi
- Mercredi
- Jeudi
- Vendredi
- Samedi
- Fin de semaine
- Aujourd'hui
- Demain
- Hier

G
- Matin
- Avant-midi
- Midi
- Après-midi
- Soir
- Nuit

H
- Mois
- Janvier
- Février
- Mars
- Avril
- Mai
- Juin
- Juillet
- Août
- Septembre
- Octobre
- Novembre
- Décembre

I
- Heure
- Minute

J
- Autrefois
- Pendant
- Futur
- Présent
- Temps
- Bientôt
- À venir

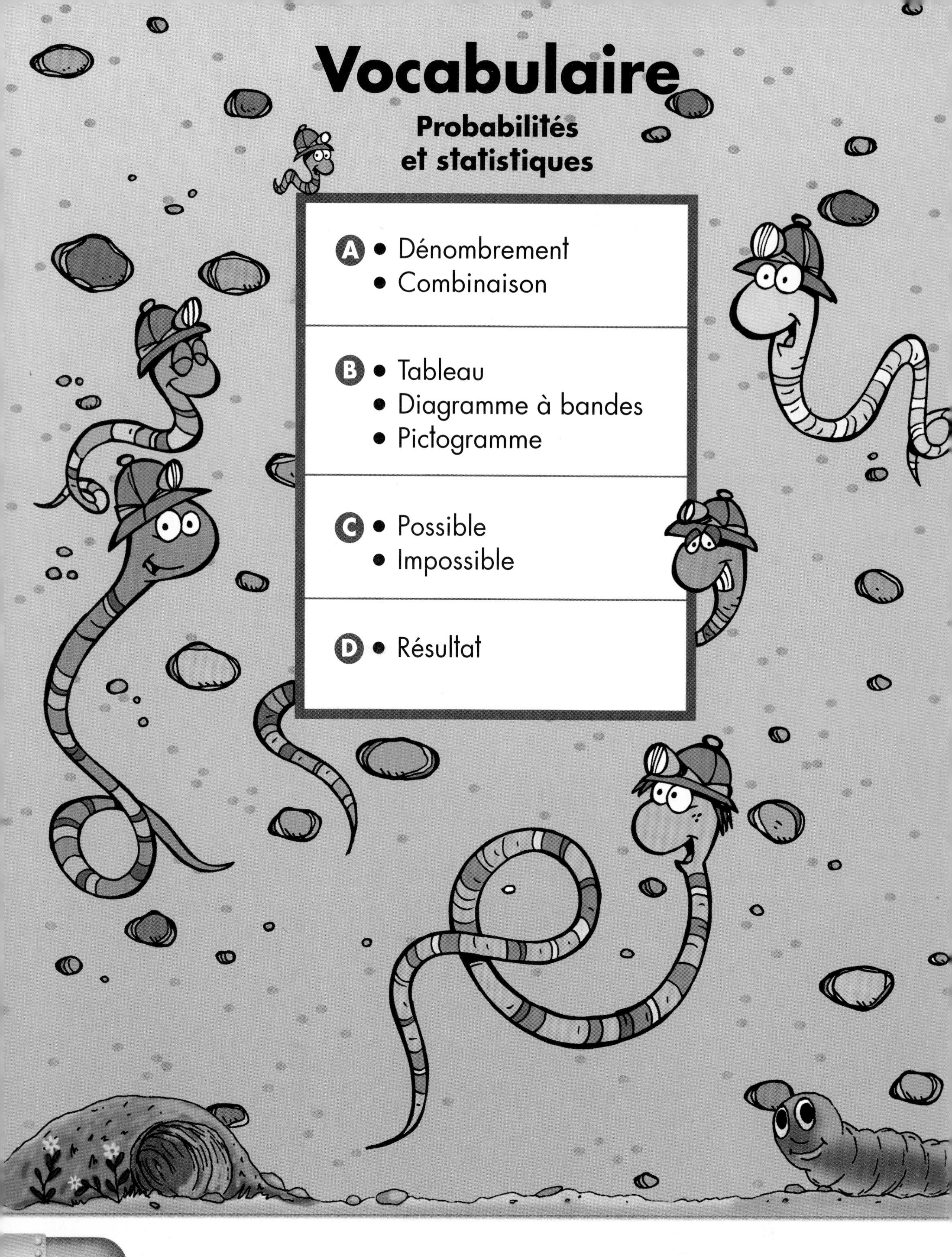
Vocabulaire
Probabilités
et statistiques
A • Dénombrement
• Combinaison
B • Tableau
• Diagramme à bandes
• Pictogramme
C • Possible
• Impossible
D • Résultat